Emmanuel Lepage

Voyage aux îles de la Désolation

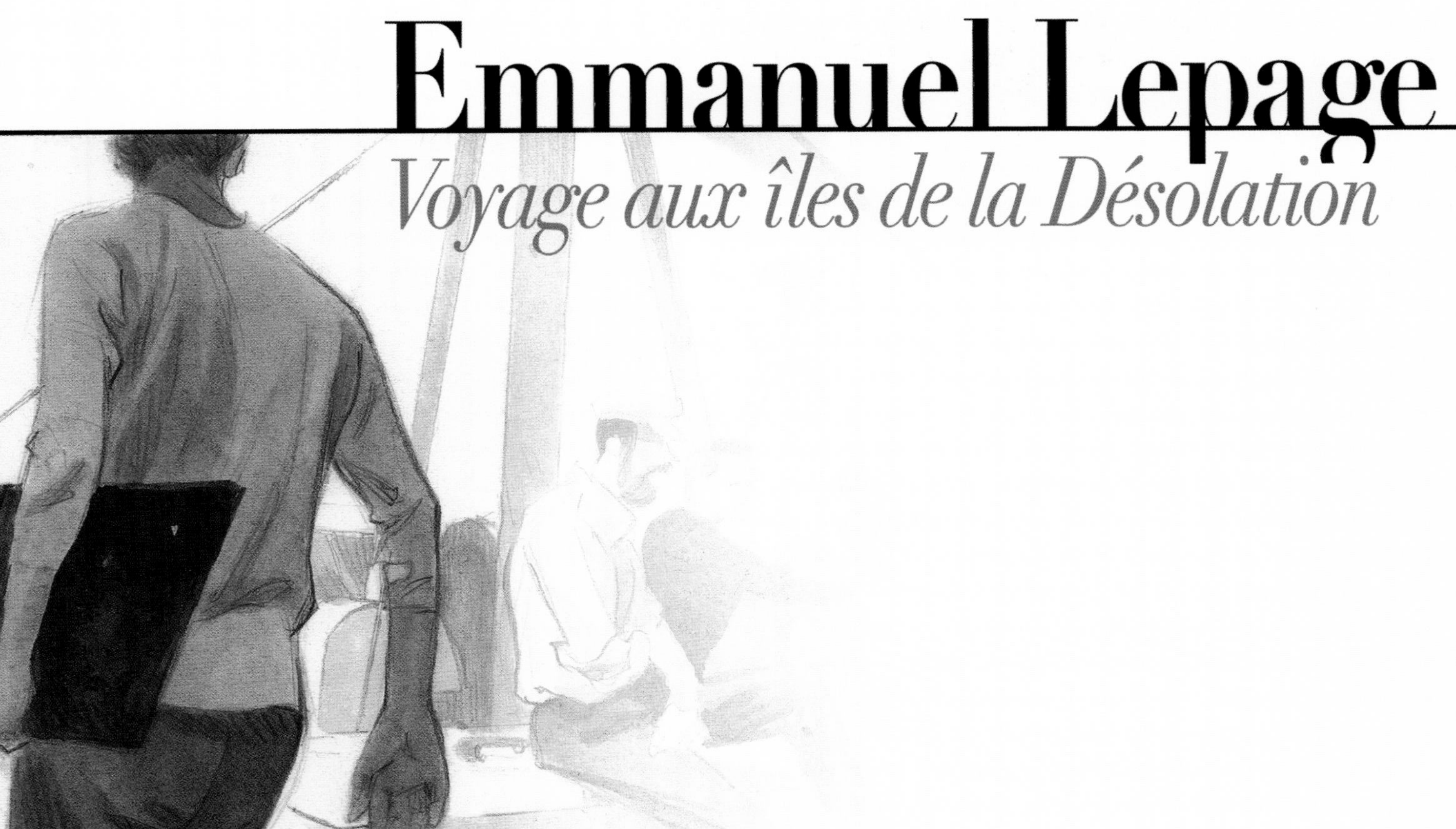

Futuropolis

Du même auteur

Aux Éditions Futuropolis

En collaboration avec Sophie Michel :
Oh, les filles !, tomes 1 et 2

Un printemps à Tchernobyl

Aux Éditions Dupuis

Muchacho, tomes 1 et 2

En collaboration avec Anne Sibran :
La Terre sans mal

Aux Éditions Casterman

En collaboration avec Nicolas Michel :
Brésil, Fragments d'un voyage
America, Fragments d'un voyage

Aux Éditions Daniel Maghen

En collaboration avec Sophie Michel :
Les Voyages d'Anna

Aux Éditions Glénat

Dans la série « Névé »
en collaboration avec Dieter :
Bleu Regard
Vert Soley
Rouge Passion
Blanc Népal
Noirs Désirs
Névé, intégrale

Aux Éditions Vents d'Ouest

En collaboration avec Delphine Rieu :
Alex Clément est mort

Aux Éditions Mosquito

Lepage, une monographie
Entretiens avec Serge Buch

Ailleurs... Plus loin !

Aux Éditions des Dessinacteurs

En collaboration avec Gildas Chassebœuf :
Les Fleurs de Tchernobyl

www.futuropolis.fr

Éditeur : Claude Gendrot, pour Futuropolis.

Conception et réalisation graphique : Didier Gonord, pour Futuropolis.

Cet ouvrage a été imprimé en janvier 2014, sur du papier Condat Matt Périgord 135 g, chez Lego, en Italie.

Photogravure : Color'Way

Dépôt légal : mars 2011.
ISBN : 978-2-7548-0424-0
Code Sodis: 790085
Numéro d'édition: 266209

JOUR 1.
ONZE HEURES.
LE BOEING 777 D'AIR FRANCE EN PROVENANCE DE PARIS-ORLY SE POSE À L'AÉROPORT ROLAND-GARROS DE SAINT-DENIS DE LA RÉUNION.

CETTE FOIS, C'EST SÛR, J'EMBARQUE.
MARION DUFRESNE

CHOISIR D'ARRIVER TROIS HEURES SEULEMENT AVANT L'APPAREILLAGE DU NAVIRE N'ÉTAIT PAS TRÈS MALIN. ÇA FAISAIT DEUX JOURS QUE JE NE DORMAIS PLUS À L'IDÉE DE LOUPER L'EMBARQUEMENT.
D'AUTRES AVAIENT FAIT CE CHOIX. LES CHERCHEURS DE L'IPEV.
L'IPEV...?
L'INSTITUT PAUL ÉMILE VICTOR...
... L'INSTITUT POLAIRE FRANÇAIS.

– C'EST NOUS QUI COORDONNONS LES RECHERCHES SCIENTIFIQUES SUR LES ÎLES. ET VOUS ?
– JE SUIS AUTEUR DE BANDES DESSINÉES. J'AIMERAIS RACONTER CETTE ROTATION AUSTRALE.

TROIS SEMAINES PLUS TÔT, FÉVRIER 2010. JOUR DE DÉPART EN VACANCES.
ALLÔ, MANU... ?
SALUT, FRANÇOIS.

PAPA, JE PEUX PRENDRE MON OURS BLANC DANS LE TRAIN ?
ÇA TE DIT TOUJOURS DE PARTIR AUX KERGUELEN ?

QUOI ?!
... ET MOI LA PANTHÈRE ?

UNE PLACE À BORD DU BATEAU VIENT DE SE LIBÉRER. ON VOYAGERA ENSEMBLE !
IL FAUT QUE TU APPELLES LES TAAF TOUT DE SUITE, SINON ON LA DONNE À QUELQU'UN D'AUTRE.

HEU, JE... LAISSE-MOI AU MOINS UNE HEURE, POUR RÉFLÉCHIR.
TU AS UNE DEMI-HEURE.
J'AI PRIS UN QUART D'HEURE.

L'IDÉE D'UN VOYAGE DANS LES TAAF, LES TERRES AUSTRALES ET ANTARCTIQUES FRANÇAISES, ÉTAIT VENUE DE CAROLINE, JOURNALISTE À L'HEBDOMADAIRE LE MARIN. ELLE AVAIT PROPOSÉ À FRANÇOIS, PHOTOGRAPHE, DE MONTER UN DOSSIER AUPRÈS DE L'ADMINISTRATION DES TAAF AFIN D'EMBARQUER À BORD DU NAVIRE RAVITAILLEUR DES TERRES AUSTRALES.
ON POURRAIT FAIRE UN LIVRE QUI ASSOCIERAIT PHOTOS, TEXTES... ET DESSINS.
UN BLOG ?
UNE EXPO ?
UNE BANDE DESSINÉE ?
DES ARTICLES DANS LA PRESSE ?
J'AVAIS DIT OUI, CAR JE N'Y CROYAIS PAS.

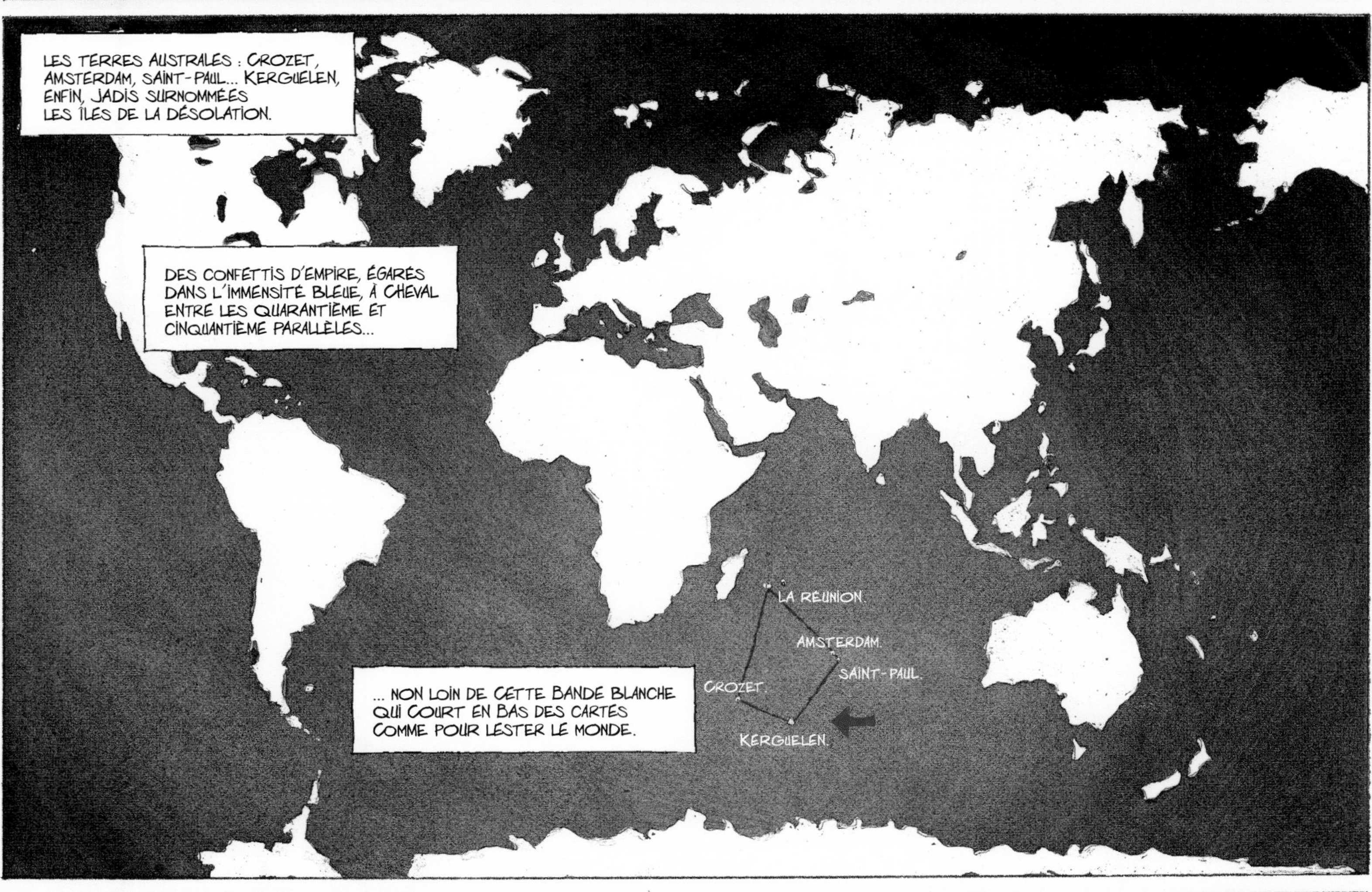
LES TERRES AUSTRALES : CROZET, AMSTERDAM, SAINT-PAUL... KERGUELEN, ENFIN, JADIS SURNOMMÉES LES ÎLES DE LA DÉSOLATION.
DES CONFETTIS D'EMPIRE, ÉGARÉS DANS L'IMMENSITÉ BLEUE, À CHEVAL ENTRE LES QUARANTIÈME ET CINQUANTIÈME PARALLÈLES...
LA RÉUNION.
AMSTERDAM.
SAINT-PAUL.
CROZET.
KERGUELEN.
... NON LOIN DE CETTE BANDE BLANCHE QUI COURT EN BAS DES CARTES COMME POUR LESTER LE MONDE.

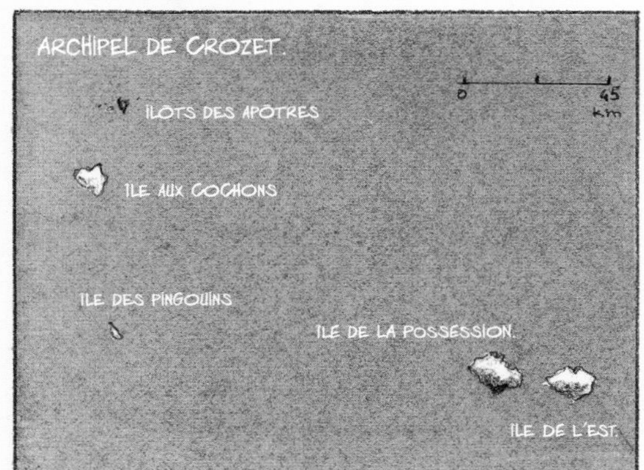
ARCHIPEL DE CROZET.
0
45 km
ÎLOTS DES APÔTRES
ÎLE AUX COCHONS
ÎLE DES PINGOUINS
ÎLE DE LA POSSESSION.
ÎLE DE L'EST.

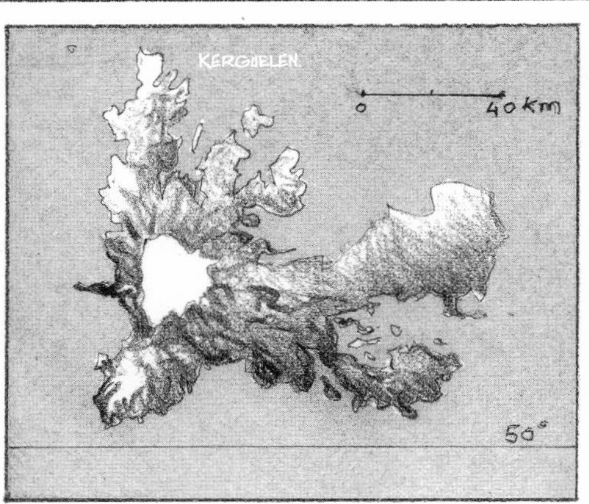
KERGUELEN.
0
40 km
50°

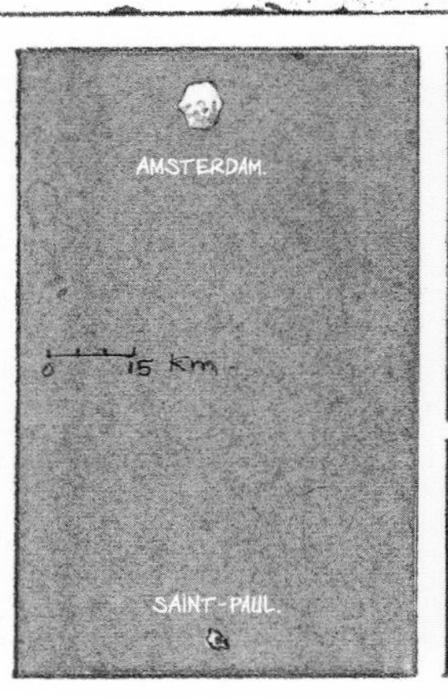
AMSTERDAM.
0
15 Km
SAINT-PAUL.

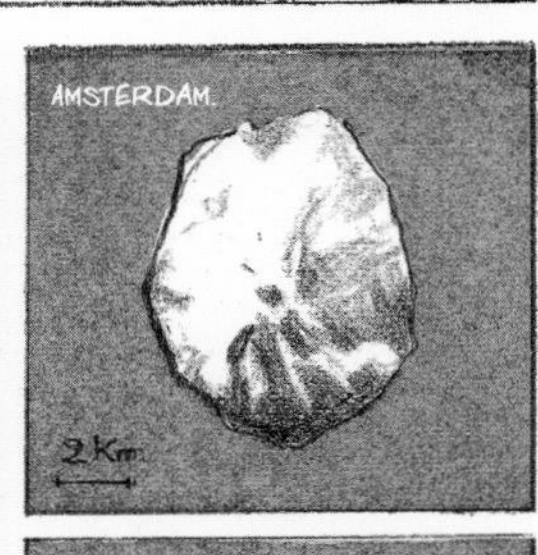
AMSTERDAM.
2 Km

SAINT-PAUL.
2 Km

ENFANT, JE ME PERDAIS DANS LA CONTEMPLATION DES CARTES QUE MES PARENTS AVAIENT JUDICIEUSEMENT PLACÉES.
EMMANUEL, À TABLE !

Archipel Crozet
Îles Kerguelen
KER-GUE-LEN. UN MOT QUI RACLE LA GORGE PUIS SE COUCHE SUR LE PALAIS. KER-GUE-LEN. UN NOM BRETON ÉGARÉ EN ANTARCTIQUE.
JE N'IMAGINAIS TERRES PLUS PERDUES, PLUS LOINTAINES.
C'ÉTAIT LE MONDE DU BOUT DU MONDE.

... ET VOILÀ QU'ON ME PROPOSAIT DE M'Y RENDRE...
J'ALLAIS AFFRONTER UNE MER QUE LES MARINS QUALIFIENT DE RUGISSANTE, DE HURLANTE MÊME. LA MER QUE JE NE CONNAIS QUE DE LA CÔTE, LA MER QUE JE CONTEMPLE CHAQUE MATIN, SANS JAMAIS L'AVOIR PRISE POURTANT.

ALBERT BRENET
JOUBERT
MARINE TOME
Marin Marie
J'ALLAIS POUVOIR LA SENTIR, LA RESSENTIR, LA VIVRE TEL QUE L'ONT FAIT CES PEINTRES QUI ME NOURRISSENT : MARIN-MARIE, JOUBERT, BRENET...

... PEUT-ÊTRE, ENFIN, LA COMPRENDRE... ET SAVOIR LA DESSINER À MON TOUR.

NOUS ALLIONS EMBARQUER SUR UN NAVIRE PENDANT DES SEMAINES... IL N'Y A PAS D'HISTOIRES QU'ENFANT JE DESSINAIS OÙ IL N'ÉTAIT QUESTION DE BATEAUX.

PAS LES VOILIERS, MAIS LES CARGOS, LES PAQUEBOTS.
NORMANDI

CETTE FASCINATION POUR LA MER ET SON MONDE PROVENAIT-ELLE D'UN PÈRE MARIN, DES LECTURES ASSIDUES DES "TINTIN", DU CHOC QUE FUT LA DÉCOUVERTE DE *L'ÎLE AU TRÉSOR* OU DE *MOONFLEET* ?
L'ÉTOILE MYSTÉRIEUSE

PARTIR, VOYAGER À NOUVEAU.
CE QUI EST ÉTRANGE AVEC LE VOYAGE, C'EST QU'ON NE COMPREND QU'APRÈS - ET ENCORE PAS TOUJOURS - CE QU'ON EST ALLÉ CHERCHER.

POUR L'HEURE, L'AVENTURE COMMENCE.

LE VOILÀ.

LE MARION DUFRESNE.

MARION DUFRESNE
MARSEILLE
Quai n°8

LE *MARION* EFFECTUE ENTRE TROIS ET QUATRE MISSIONS DE RAVITAILLEMENT DES TERRES AUSTRALES PAR AN. IL EST LE CORDON OMBILICAL DE CES ÎLES AVEC LE MONDE.

LE RESTE DE L'ANNÉE, LE *MARION* EST SOUS-AFFRÉTÉ PAR L'IPEV (L'INSTITUT POLAIRE) POUR DES MISSIONS OCÉANOGRAPHIQUES.

CE BATEAU TRANSPORTE TOUT CE QUI PEUT ÊTRE NÉCESSAIRE À LA VIE DES BASES À DES MILLIERS DE KILOMÈTRES DE TOUTE TERRE HABITÉE, ET OÙ AUCUN AVION NE PEUT SE POSER.

LE *MARION*, EN PLUS D'ÊTRE MULTIPLE, EST TOUT SIMPLEMENT BEAU.

... UNE GRÈVE DES ENTREPÔTS PÉTROLIERS NE NOUS PERMET PAS DE REMPLIR LES CUVES.
IL Y A ASSEZ DE GASOIL POUR LE BATEAU, MAIS PAS POUR LES BASES...
... ET, SANS RAVITAILLEMENT, ELLES DEVRONT RESTREINDRE LEUR CONSOMMATION.
... NOUS POURRIONS ATTENDRE CET HIVER, MAIS LES CONDITIONS MÉTÉOROLOGIQUES SONT PIRES...
... NOUS PRENDRIONS LE RISQUE DE NE POUVOIR EFFECTUER CE RAVITAILLEMENT.
LE FORUM EST PLEIN COMME UN ŒUF POUR ÉCOUTER LE PRÉFET DES TERRES AUSTRALES. IL Y A LÀ LE PERSONNEL ET LES LOGISTICIENS DES TAAF, LES SCIENTIFIQUES DE L'IPEV, DES TECHNICIENS SPÉCIALISÉS, DES OUVRIERS QUI VONT PASSER UN HIVERNAGE SUR LES BASES, DIX-HUIT TOURISTES, LE NOUVEAU SECRÉTAIRE GÉNÉRAL (OU SOUS-PRÉFET), PATRICK, QUI VIVRA SA PREMIÈRE ROTATION, ET JUSQU'À UN SÉNATEUR, CHRISTIAN, CHARGÉ DE FAIRE UNE ÉVALUATION DES MISSIONS SCIENTIFIQUES DANS LES ÎLES AUSTRALES.

ON CHERCHE DES SOLUTIONS POUR POUVOIR PARTIR LE PLUS VITE POSSIBLE.

CARO N'EST JAMAIS PLUS HEUREUSE QUE SUR UN BATEAU. À L'APÉRO, ELLE A DÉJÀ FAIT CONNAISSANCE AVEC LE COMMANDANT.
IL FAUT QUE JE VOUS PRÉSENTE À L'ÉQUIPAGE, QU'IL SACHE BIEN CE QUE VOUS FAITES À BORD.

SUR LA PASSERELLE, C'EST CARO ET LES QUARANTE MARINS. LE COURANT PASSE TOUT DE SUITE. ELLE LES AIME, ILS LE SENTENT.
CMA CGM

VOUS ALLEZ NOUS DESSINER ?
LE DESSIN INSPIRE LA BIENVEILLANCE.

C'EST UN SÉSAME INCROYABLE QUI DÉVERROUILLE LES HIÉRARCHIES, LES CLASSES ET LES ÂGES...
DESSINER, C'EST MA FAÇON D'ÊTRE AU MONDE.

LES OFFICIERS SONT TOUS TRÈS JEUNES (ET RESSEMBLENT PARFOIS À DES PERSONNAGES DE PIERRE JOUBERT).
RESURGISSENT LES TROUBLANTS SOUVENIRS DU CAPITAINE DE QUINZE ANS DE JULES VERNE, DU JEUNE JIM HAWKINS DE STEVENSON OU DU JOHN TRENCHARD DU MOONFLEET DE FALKNER, QUAND J'EN FAISAIS MES COMPAGNONS D'AVENTURES IMAGINAIRES.
RAKOTONIRINAVOA H. Denis
Timonier
Grégoire CHAVANEL
Lt. NAVIGATION

APRÈS TRENTE ANS, NOMBRE D'ENTRE EUX ASPIRENT À UNE VIE DE FAMILLE...
... ET ILS SONT DE MOINS EN MOINS À VOULOIR NAVIGUER SUR DES BATEAUX QUI PARTENT EN MER POUR DE LONGS MOIS. ALORS, ILS CHERCHENT UN TRAVAIL DANS LES PORTS, SOUVENT COMME PILOTES.

MADAME, MESSIEURS LES JOURNALISTES, VENEZ VOIR...
" LES JOURNALISTES " ! C'EST BIEN LA PREMIÈRE FOIS QUE L'ON ME VOIT AINSI !

ON EN REÇOIT À CHAQUE ROTATION. CE SONT DES PHILATÉLISTES DU MONDE ENTIER QUI NOUS DEMANDENT DE JOUER LES POSTIERS.

" MON COMMANDANT, JE VOUS SERAIS RECONNAISSANT DE BIEN VOULOIR POSTER LES COURRIERS CI-JOINTS À PORT-AUX-FRANÇAIS AUX ÎLES KERGUELEN... "
" MON COMMANDANT "... PFFF ! EN VOILÀ UN QUI NE CONNAÎT RIEN À LA MARINE FRANÇAISE !
?

– OUI, LE "MON", UN SIGNE DE POLITESSE (DE MONSIEUR), A ÉTÉ INTERDIT AUX OFFICIERS DE MARINE, MARCHANDE OU NATIONALE, PAR NAPOLÉON SUITE À LA DÉFAITE DE TRAFALGAR.
– MAIS C'ÉTAIT IL Y A 200 ANS !
– AH, C'EST LA MARINE. ELLE A SES TRADITIONS. TU VERRAS AUSSI QUE L'ON PORTE LA CRAVATE NOIRE... TOUJOURS EN SIGNE DE DEUIL DE TRAFALGAR.
– PERFIDE ALBION.

CE PREMIER SOIR, LE COMMANDANT NOUS FAIT L'HONNEUR DE NOUS CONVIER AU CARRÉ DES OFFICIERS. L'UNIFORME EST DE RIGUEUR.
LES *TOURISTES* AIMENT ÇA...

SEULE FEMME OFFICIER À BORD, ÉMILIE RESTE DE MARBRE FACE AUX PLAISANTERIES MACHISTES. UNE DÉFENSE NÉCESSAIRE POUR EXISTER DANS CET UNIVERS MASCULIN.

– ON NE PEUT PLUS ATTENDRE, NOTRE PROGRAMME EST CHARGÉ ET NOUS DEVONS IMPÉRATIVEMENT REVENIR DANS UN MOIS.
– CHAQUE JOUR QUI PASSE EST UN JOUR PERDU.
– NOUS MONTONS SUR TROMELIN, CE QUE NOUS AURIONS DÛ FAIRE À LA FIN DE LA ROTATION...
– PUIS NOUS REVIENDRONS DANS DEUX JOURS À LA RÉUNION EN ESPÉRANT QUE LA GRÈVE SERA ALORS TERMINÉE.

CAP AU NORD...
ÎLE DE TROMELIN.
NOUS DEVONS Y
RAVITAILLER LA BASE
ET RÉCUPÉRER DES
DÉCHETS ENTREPOSÉS
DEPUIS DES DÉCENNIES.
Commandant
pierre COURTES
19 Mars 10
LA PASSE EST ÉTROITE.
ON COMMENCE
PAR LE DESSERT.
Sur la passerelle
au départ du Port
19 mars 2010

À QUELQUES ENCABLURES, LE BATEAU
S'IMMOBILISE. ON ATTEND L'HÉLICOPTÈRE.

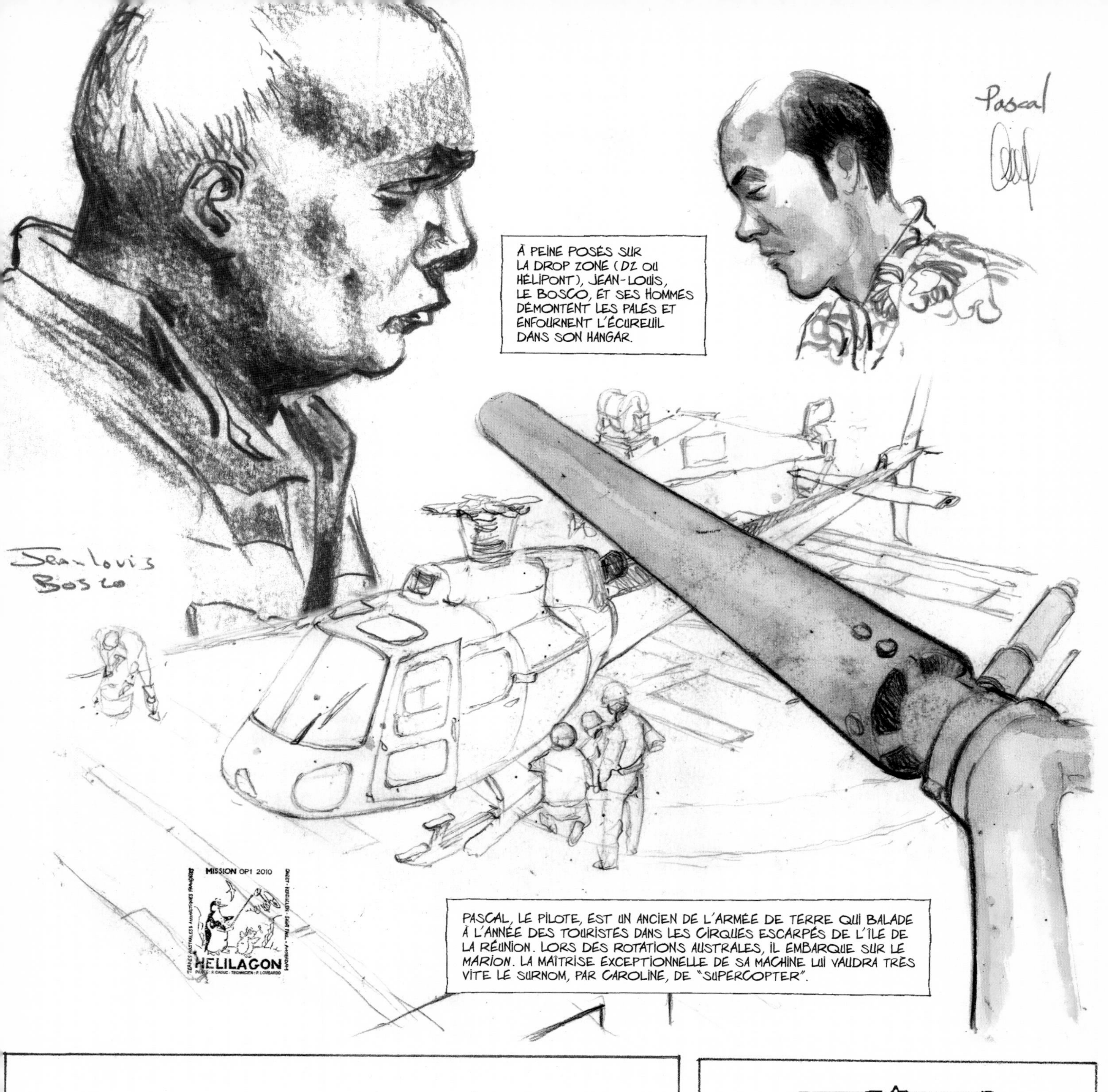
Pascal
À PEINE POSÉS SUR LA DROP ZONE (DZ OU HÉLIPONT), JEAN-LOUIS, LE BOSCO, ET SES HOMMES DÉMONTENT LES PALES ET ENFOURNENT L'ÉCUREUIL DANS SON HANGAR.
Jean-Louis Bosco
MISSION OP1 2010
HELILAGON
PASCAL, LE PILOTE, EST UN ANCIEN DE L'ARMÉE DE TERRE QUI BALADE À L'ANNÉE DES TOURISTES DANS LES CIRQUES ESCARPÉS DE L'ÎLE DE LA RÉUNION. LORS DES ROTATIONS AUSTRALES, IL EMBARQUE SUR LE MARION. LA MAÎTRISE EXCEPTIONNELLE DE SA MACHINE LUI VAUDRA TRÈS VITE LE SURNOM, PAR CAROLINE, DE "SUPERCOPTER".

LA MER.

– DEUXIÈME SERVICE DU DÉJEUNER. BON APPÉTIT.

JOUR 3.

SIX HEURES.

TROMELIN. L'ÎLE DE SABLE.

POINT CULMINANT : SEPT MÈTRES.

– UN PEU DE FROMAGE ?

UN KILOMÈTRE CARRÉ.
UNE PISTE POUR LES TRANSALL LA GRIFFE DE TOUT SON LONG.

HUIT HEURES, COULOIR DE LA DZ.
LEPAGE !
LEPAGE !
BRITZ !

ON ENFILE LES GILETS DE SAUVETAGE, ALORS QUE LE GROUPE PRÉCÉDENT DÉCOLLE.
LE BALLET DES ROTATIONS HÉLIPORTÉES A COMMENCÉ.

PASCAL, LE MÉCANO HÉLICO, NOUS OUVRE LA PORTIÈRE.
UN SIGNE, ON COURT.

C'EST MON BAPTÊME D'HÉLICO...
IL DURERA MOINS D'UNE MINUTE.

TROMELIN
STATIONSE R GEFROLOW

UNE STATION MÉTÉO OÙ SE RELAIENT TOUS LES MOIS DEUX ÉQUIPES DE QUATRE HOMMES. DEUX MÉTÉOS, UN CUISTOT ET UN TECHNICIEN.
ILS ONT EN CHARGE DE TRANSMETTRE LES PRÉVISIONS MÉTÉO À LA RÉUNION À 560 KILOMÈTRES AU SUD...
... ET PARTICULIÈREMENT D'ALERTER EN CAS DE CYCLONES, FRÉQUENTS DANS LA RÉGION.
BASE METEO de TROMELIN 20-3-10
LA STATION DATE DE 1954.
CHER MONSIEUR, BONJOUR.
MONSIEUR LE SÉNATEUR... JE VOUS ATTENDAIS DANS UN MOIS ! J'AURAIS PU M'HABILLER...
Pascal
Tromelin 20-3-10
PASCAL EST UN BRETON, ANCIEN MÉTÉO SUR LES CARGOS TRANSATLANTIQUES. C'EST LÀ QU'IL A RENCONTRÉ UN JEUNE OFFICIER, AUJOURD'HUI COMMANDANT DU *MARION*.
NE VOUS APPROCHEZ PAS TROP DES OISEAUX, VOUS RISQUEZ DE LES STRESSER !

L'ÎLE EST SI PLATE QUE LE MARION SEMBLE S'Y ÊTRE ÉCHOUÉ.
TROMELIN EST UN LIEU DE PONTE POUR LES TORTUES VERTES.
SUR LA PLAGE, NOUS ÉCRASONS DES PETITES TORTUES DESSÉCHÉES QUI N'ONT PAS EU LE TEMPS DE GAGNER LA MER AVANT D'ÊTRE CLOUÉES AU SOL PAR LA CHALEUR.

PARTOUT, DES BERNARD-L'ERMITE. ÉNOOORMES ! ILS GROUILLENT PARTICULIÈREMENT AUTOUR DE LA STATION...

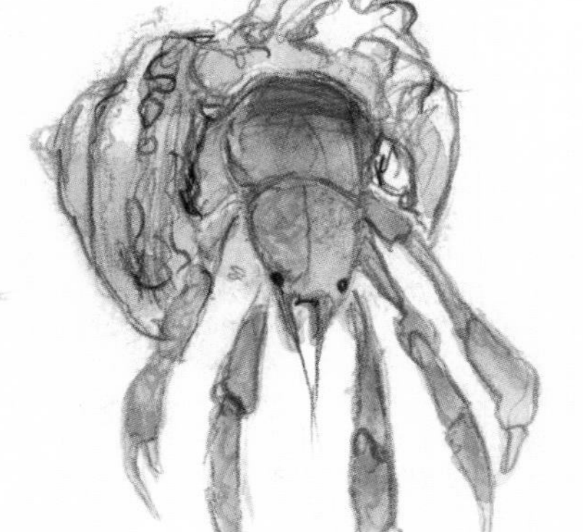
- C'EST NOTRE SERVICE D'HYGIÈNE.

L'ÎLE EST AUSSI UN HAVRE POUR DES CENTAINES DE FRÉGATES, DE FOUS À PIEDS ROUGES ET DE FOUS MASQUÉS.

TU LE STRESSES !
MAIIIIS NON !

REGARDE, SON BEC EST OUVERT ET LE COU TREMBLE.
J'AI PRESQUE FINI.

MANU, ON EST ENTOURÉS D'ORNITHOLOGUES, C'EST PAS LE MOMENT DE DÉCONNER !
BON, J'ARRÊTE LÀ.
DU COUP, J'AI LOUPÉ MON DESSIN.
EN FAIT, L'OISEAU SE VENTILE. LA CHALEUR EST ACCABLANTE.

L'ÎLE A ÉTÉ LE THÉÂTRE D'UN DRAME.

EN 1761, L'UTILE, UNE FLÛTE DE LA COMPAGNIE DES INDES, QUI TRANSPORTE DES ESCLAVES DE MADAGASCAR À L'ÎLE DE FRANCE (AUJOURD'HUI MAURICE), S'ÉCHOUE SUR L'ÎLE DE SABLE.

L'ÉQUIPAGE ET LES ESCLAVES S'ORGANISENT ET INSTALLENT UN CAMPEMENT EN RÉCUPÉRANT CE QU'ILS PEUVENT SUR LE NAVIRE ÉCHOUÉ.
AU BOUT D'UN AN, LE SECOND CAPITAINE A IMAGINÉ UNE EMBARCATION DE FORTUNE POUR FUIR L'ÎLE ET GAGNER MADAGASCAR. MAIS NE PREND PLACE À BORD QUE L'ÉQUIPAGE QUI PROMET AUX ESCLAVES DE REVENIR LES CHERCHER.

LA PROMESSE NE SERA PAS TENUE.

QUINZE ANS PLUS TARD, LES SURVIVANTS SERONT RÉCUPÉRÉS PAR LE CHEVALIER DE TROMELIN. IL NE RESTE ALORS QUE SEPT FEMMES ET UN BÉBÉ DE HUIT MOIS.

DE CETTE AVENTURE, PEU DE VESTIGES : L'ANCRE DE L'UTILE, DÉRISOIRE RELIQUE DE CE DRAME, TRAÎNÉE SUR LA PLAGE PAR DES PLONGEURS LORS DE FOUILLES ARCHÉOLOGIQUES...
Tromelin
20 mars 10
Marion Dufresne
Ancre de l'Utile

... AINSI QUE LES FONDATIONS DES HABITATIONS DE FORTUNE ...
LE RESTE A ÉTÉ BALAYÉ PAR LES CYCLONES...

... DONT ON PEUT IMAGINER LA VIOLENCE.

À MIDI, LA CHALEUR NOUS ÉCRASE.
ÉTRANGES RETROUVAILLES AUTOUR D'UN COUSCOUS QUE CELLES DU COMMANDANT ET DU MÉTÉOROLOGUE SUR UN BANC DE SABLE AU MILIEU DE L'OCÉAN INDIEN !
À LA FIN DE L'ANNÉE, PASCAL N'ENVERRA PLUS SES BALLONS-SONDES CHAQUE JOUR ET RENTRERA DÉFINITIVEMENT. LA BASE SERA ENTIÈREMENT AUTOMATISÉE ET RENDUE AUX OISEAUX.
PLUS DE STRESS.

CAP AU 180. RETOUR À LA RÉUNION.
LES ENTREPÔTS PÉTROLIERS ONT ROUVERT, ON DEVRAIT POUVOIR ÊTRE LIVRÉS EN GASOIL.
PIOTEYRY
Second capitaine

– DEUXIÈME SERVICE DU DÎNER. BON APPÉTIT.
TÔÔÔT

CETTE NUIT, AU MILIEU DE L'OCÉAN INDIEN, ALAIN, LE CHEF MÉCANO, NOUS MONTRE LA CROIX DU SUD.
CE VOYAGE A TOUT DE LA CROISIÈRE DE LUXE...
... UN DESSERT, OUI.

JOUR 4.
LA RÉUNION.
AU-DESSUS DU PORT S'OUVRE LE CIRQUE DE MAFATE.
NOUS ATTENDONS LA MARÉE HAUTE POUR PÉNÉTRER DANS LA RADE.

LE PILOTE CHARGÉ DE NOUS FAIRE ENTRER DANS LE PORT A GAGNÉ LE NAVIRE.
OPÉRATION DÉLICATE.
TOUS LES REGARDS SEMBLENT TENDUS VERS LE MÊME POINT.
PERSONNE NE PIPE MOT, SEULS LES ORDRES CLAQUENT.
chef Alain Rolland.
JE ME VOUDRAIS INVISIBLE.
FAUX DÉPART.

LES RÉUNIONNAIS DU BORD SONT RENTRÉS CHEZ EUX. LES PORTABLES SE SONT REMIS À SONNER. SUR LE QUAI, LES COUPLES SE SONT REFORMÉS. ON SE VOYAIT PARTIR AU BOUT DU MONDE ET NOUS VOILÀ AU CŒUR DE L'ACTUALITÉ FRANÇAISE.
LA RÉUNION EST, EN CE SOIR D'ÉLECTIONS, LA SEULE RÉGION À BASCULER À DROITE.
CURIEUX DE SE RETROUVER LÀ OÙ SE PELOTONNE LA DROITE, EN CE SOIR DE BÉRÉZINA ÉLECTORALE POUR ELLE.

COMMENT NE PAS ÉVOQUER L'ÉVÉNEMENT AVEC NOS COMPAGNONS DE BORD ? ÉTRANGES CONVERSATIONS OÙ L'ON ESSAIE DE COMMENTER L'ACTUALITÉ SANS AFFECT, SANS SE RACONTER, SANS CHOISIR ENTRE WHISKY OU CHAMPAGNE. NOUS SOMMES ATONES, ÉTRANGERS LES UNS AUX AUTRES.
CE QUI NE FAIT QUE DISLOQUER DAVANTAGE LES LIENS QUI SEMBLAIENT SE TISSER.

JOUR 5.
LES CHEMINS DE MATAFE CALMENT NOTRE IMPATIENCE, MAIS L'IMAGINAIRE S'EST CONSTRUIT, POUR MOI, SUR DES TERRES PLUS ÂPRES.

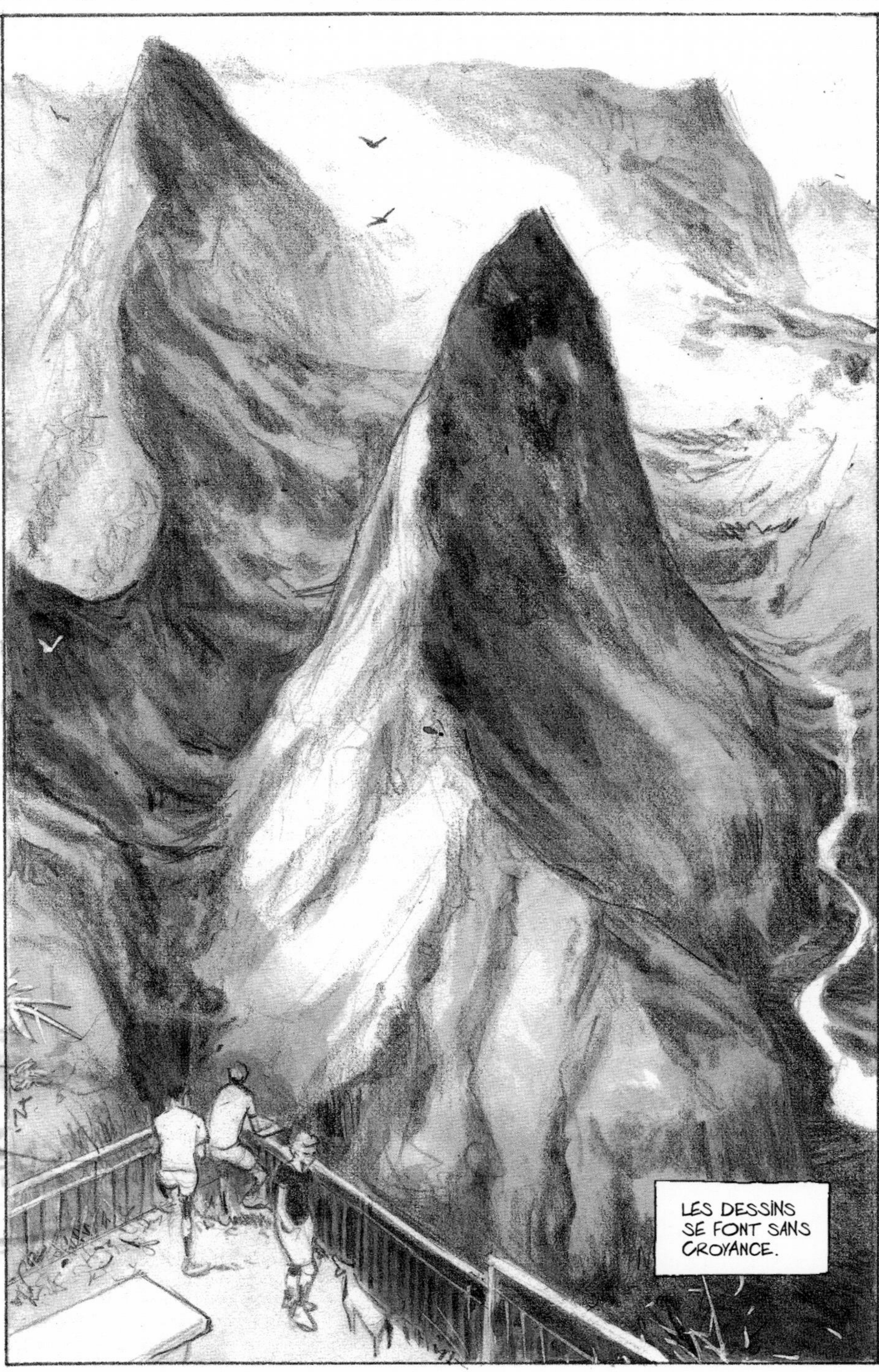
LES DESSINS SE FONT SANS CROYANCE.

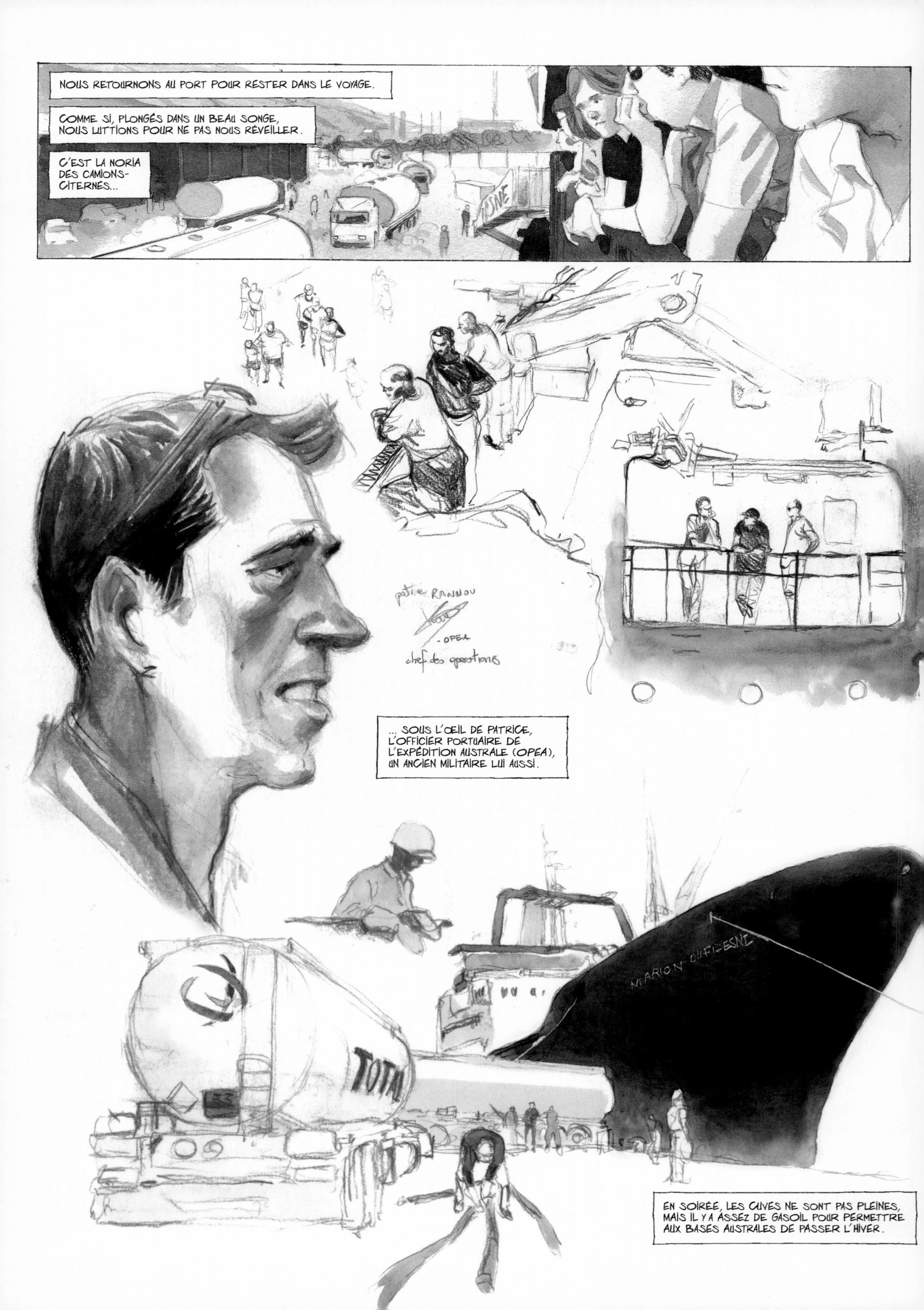
NOUS RETOURNONS AU PORT POUR RESTER DANS LE VOYAGE.
COMME SI, PLONGÉS DANS UN BEAU SONGE, NOUS LUTTIONS POUR NE PAS NOUS RÉVEILLER.
C'EST LA NORIA DES CAMIONS-CITERNES...
patrice RANNOU
- OPEA
chef des operations
... SOUS L'OEIL DE PATRICE, L'OFFICIER PORTUAIRE DE L'EXPÉDITION AUSTRALE (OPEA), UN ANCIEN MILITAIRE LUI AUSSI.
TOTAL
EN SOIRÉE, LES CUVES NE SONT PAS PLEINES, MAIS IL Y A ASSEZ DE GASOIL POUR PERMETTRE AUX BASES AUSTRALES DE PASSER L'HIVER.

LE PILOTE NOUS A SORTIS DU PORT.

UN SIGNE DE LA MAIN...
PILOTE

À PEINE UN REGARD.

CAP AU SUD... ENFIN.

C'EST LA PLAGE DE BOUCAN CANOT QUE L'ON APERÇOIT ?
NON, JE CROIS QUE CE DOIT ÊTRE ENCORE SAINT-PAUL...
MARTINE ET GOFFREDO SONT DEUX PÉTILLANTS TOURISTES. UN COUPLE DE SCIENTIFIQUES RETRAITÉS.

AAAAH ! ÇA Y EST ! J'AI VRAIMENT L'IMPRESSION DE PARTIR. TRENTE-CINQ ANS QUE JE RÊVE DE CE VOYAGE.

ÇA FAIT DES ANNÉES QUE NOUS AVONS FAIT LA DEMANDE D'EMBARQUER SUR LE MARION, ET QUE NOUS ÉCONOMISONS DANS CE BUT.
GOFFREDO

LA CROISIÈRE, CE N'EST POURTANT PAS NOTRE TRUC...
... MAIS LÀ, C'EST UN PEU PARTICULIER.

- DEUXIÈME SERVICE DU DÎNER. BON APPÉTIT.

- EMMANUEL ? DU VIN ?

HEU... NON, NON.
MERCI...
MATTHIEU ?

UN PEU DE FROMAGE ?

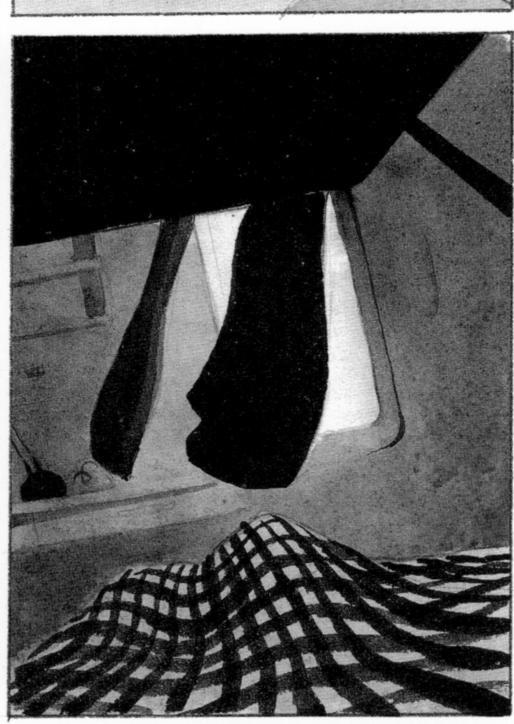

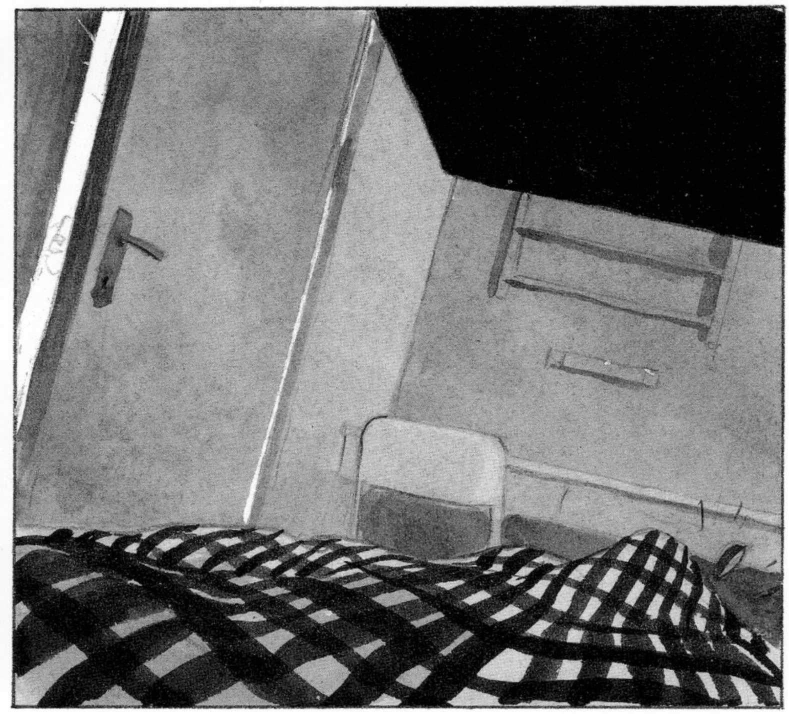

JOUR 6.
ÇA SECOUE.
Au dessus de l'étrave - 24-3-10 -

UNE IDÉE IDIOTE, CE MATIN : DESSINER LA PERSPECTIVE DU BATEAU DEPUIS LA PROUE.
JE SUIS SEUL DEHORS, ÉVIDEMMENT.
JE M'ACCROCHE AU CARNET.

IL SE SOULÈVE CHAQUE FOIS QUE L'ÉTRAVE S'EFFONDRE AU CREUX DES VAGUES.
NE PENSER QU'AU DESSIN.
RESTER CONCENTRÉ.

MANÈGE EFFRAYANT.

J'AI TENU QUINZE MINUTES.

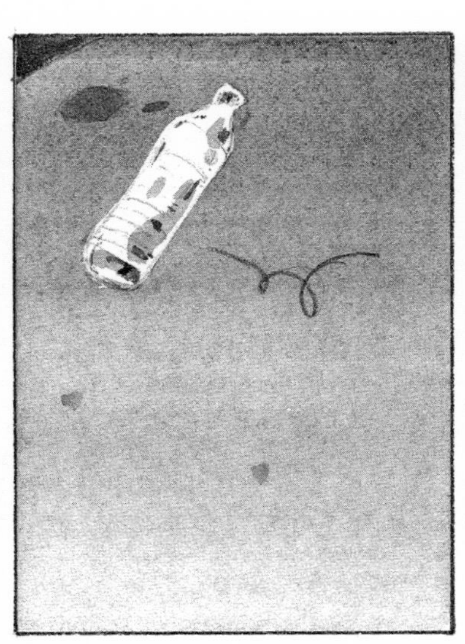

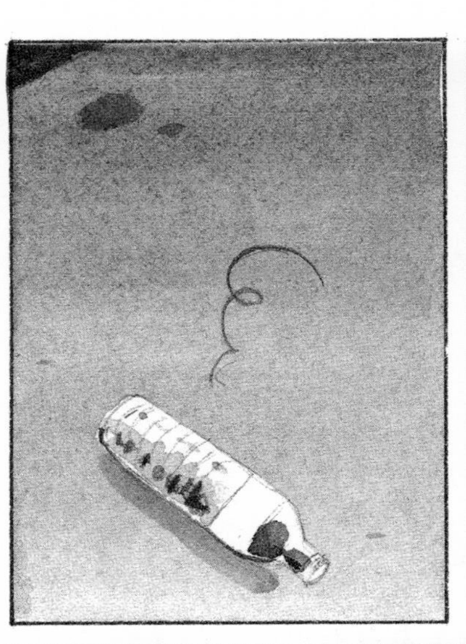

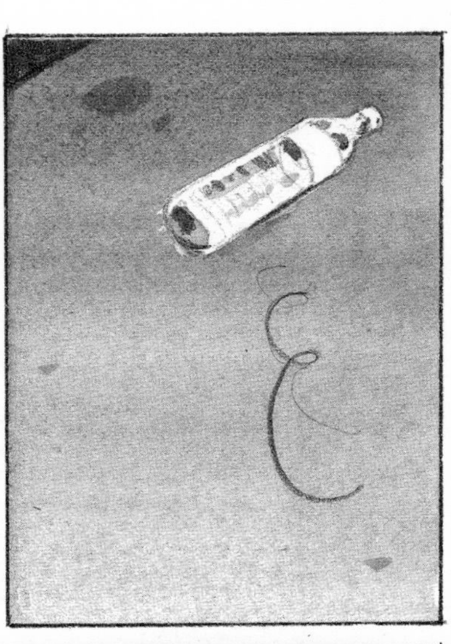

ANGOISSE.
CES RÊVES DE VOYAGE EN BATEAU, SOUDAIN, SE DISSIPENT DANS LES VERTIGES QUI M'ENVAHISSENT.
DE TOUTE ÉVIDENCE, LA MER N'EST PAS MON ÉLÉMENT.
QUE VAIS-JE RAPPORTER DE CE VOYAGE SI JE SUIS AINSI INCAPABLE DE DESSINER SANS AVOIR LE COEUR AU BORD DES LÈVRES ?

JOUR 7.
LA MER S'EST CALMÉE.
BONJOUR, MATTHIEU. ÇA VA MIEUX ?

MATTHIEU EST L'ATTACHÉ PARLEMENTAIRE DE CHRISTIAN, LE SÉNATEUR DU MAINE-ET-LOIRE.
JE NE SUIS PAS DANS MON ÉLÉMENT.

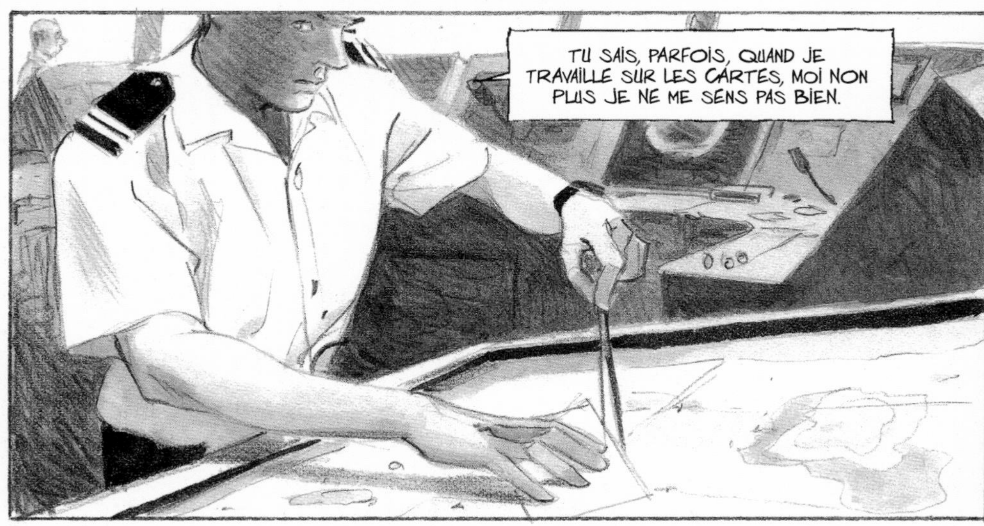
TU SAIS, PARFOIS, QUAND JE TRAVAILLE SUR LES CARTES, MOI NON PLUS JE NE ME SENS PAS BIEN.

EH OUI, PLEIN DE MARINS SONT AUSSI SUJETS AU MAL DE MER.
FAUT-IL LES PLAINDRE OU LES ADMIRER ?

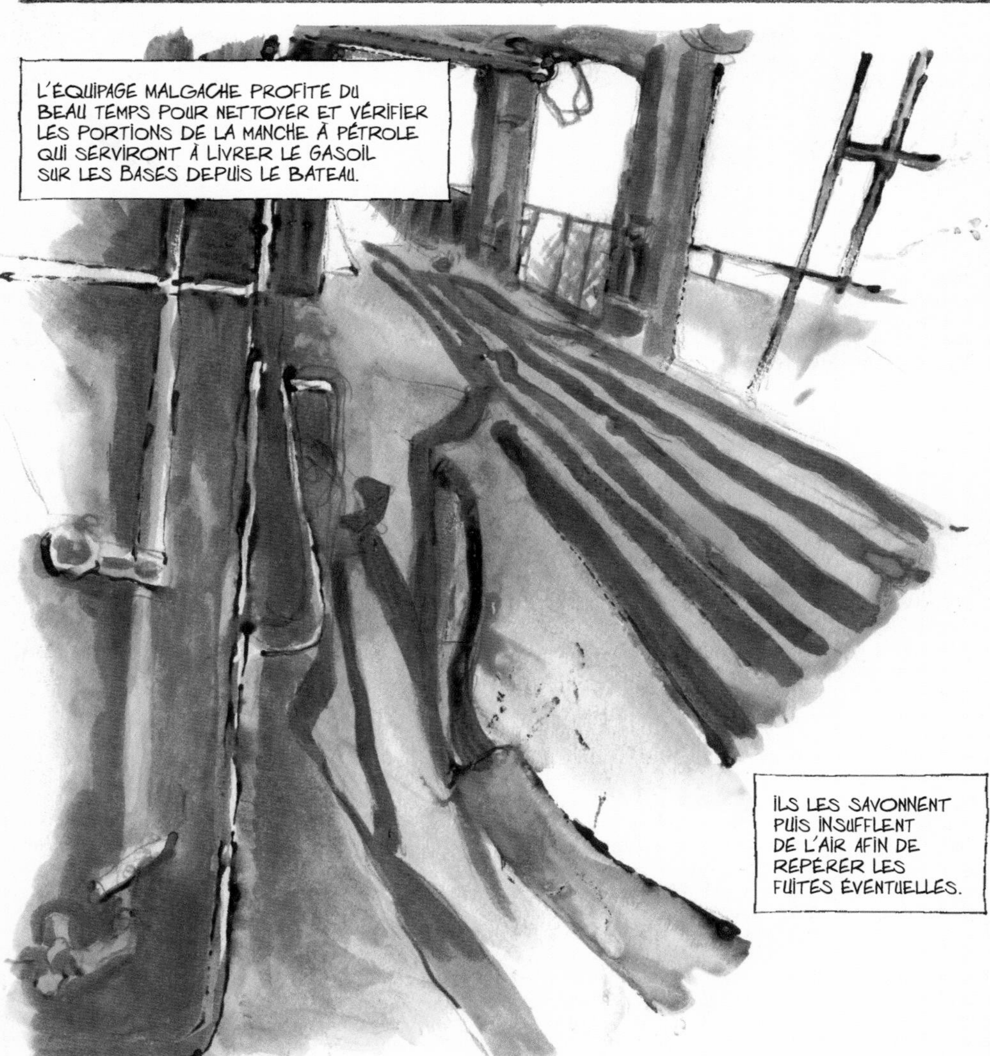
L'ÉQUIPAGE MALGACHE PROFITE DU BEAU TEMPS POUR NETTOYER ET VÉRIFIER LES PORTIONS DE LA MANCHE À PÉTROLE QUI SERVIRONT À LIVRER LE GASOIL SUR LES BASES DEPUIS LE BATEAU.
ILS LES SAVONNENT PUIS INSUFFLENT DE L'AIR AFIN DE REPÉRER LES FUITES ÉVENTUELLES.

LA COURSIVE EST UNE PATINOIRE AUX EFFLUVES DE PÉTROLE...

JE M'INSTALLE À NOUVEAU À LA PROUE POUR FINIR MON DESSIN DE LA VEILLE.
JE NE SUIS PLUS SEUL.
CE MATIN, C'EST "LE PONT DES ARTISTES".
FRANÇOIS, SÉDUIT SANS DOUTE PAR LA LUMIÈRE ET LA QUIÉTUDE DU LIEU, "SENT" L'OPPORTUNITÉ D'IMAGES INTÉRESSANTES.

JACQUES ET JEAN-MANUEL, LES DEUX RÉALISATEURS RÉUNIONNAIS, AUSSI.
LES TAAF LES ONT SOLLICITÉS POUR RÉALISER UN FILM SUR LA RÉSERVE NATURELLE DES ÎLES AUSTRALES. ILS EN PROFITENT AUSSI POUR RAMENER QUELQUES IMAGES POUR ARTE.

S'INSTALLE AUSSI CHRISTOPHE, UN PEINTRE BRETON, INVITÉ PAR L'IPEV. IL A DÉJÀ FAIT UN VOYAGE EN ANTARCTIQUE ET N'EST PAS À SON PREMIER SÉJOUR SUR LE MARION.

CHRISTIAN IMPROVISE QUELQUES ACCORDS DE GUITARE.

D'AUTRES PASSAGERS ONT SORTI LEURS CRAYONS, LEURS CARNETS DE NOTES, CERTAINS LEURS PINCEAUX, ET S'INSTALLENT DANS CES PETITES ALCÔVES À L'ABRI DU VENT.
J'AIME CES MOMENTS OÙ LE TEMPS NE SEMBLE PAS AVOIR DE PRISE.

G. Forier
GHISLAINE VIENT FUMER SA CLOPE.
AVEC LES MANCHES À PÉTROLE SUR LA COURSIVE, ON NE SAIT JAMAIS !...
CETTE JEUNE FEMME EST MEMBRE DU CONSEIL CONSULTATIF DES TAAF QUI ASSISTE LE PRÉFET DANS L'ADMINISTRATION DES TERRITOIRES.

ELLE N'EN REVIENT TOUJOURS PAS D'ÊTRE DU VOYAGE - SON PREMIER -, ET S'ÉMERVEILLE DE TOUT...
LA MER, LA MER ! C'EST DINGUE.

GHISLAINE TRAVAILLE AU MINISTÈRE DE L'ÉCOLOGIE...
TU AURAIS DU FEU ?

LE DESSINATEUR APPRÉCIE EN GÉNÉRAL DE SOUMETTRE SON TRAVAIL AU REGARD DE SES PAIRS.
HUM, OUAIS...

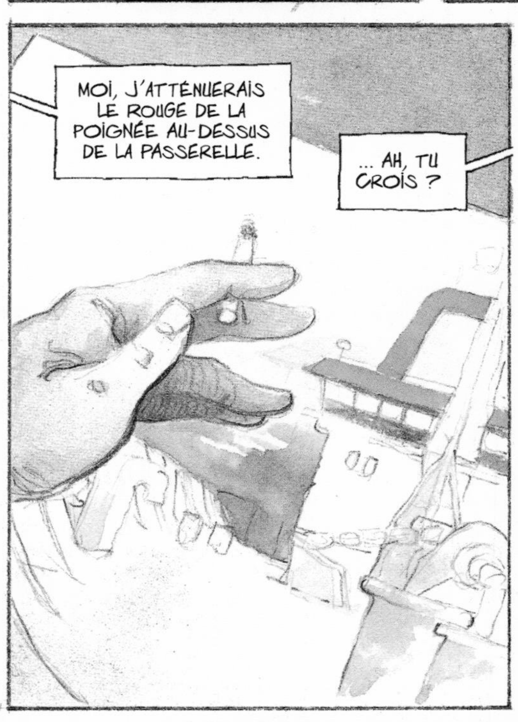

MOI, J'ATTÉNUERAIS LE ROUGE DE LA POIGNÉE AU-DESSUS DE LA PASSERELLE.
... AH, TU CROIS ?

CHRISTOPHE PASSE DE LONGS MOMENTS À CROQUER LA MER, LE BATEAU, L'ENROULEUR DE LA MANCHE À PÉTROLE OU ENCORE LES GRUES QUI SURPLOMBENT LE PONT.
TU NE DESSINES PAS LES GENS ?
ÇA M'EMMERDE.

POURTANT JE CROIS QUE SE FAIRE LE TÉMOIN DE CETTE DIVERSITÉ À BORD VAUT AUTANT QUE LES PAYSAGES QUI S'OFFRENT À NOUS.
PERSONNE N'A PEUR DU DESSIN. ON AIME LE VOIR EN TRAIN DE SE FAIRE.
ON S'EN APPROCHE SPONTANÉMENT.
IL RENVOIE À L'ENFANCE.
ET PUIS, C'EST UN MOYEN DE RENCONTRES ET DE COMPLICITÉS QUI SE PASSENT DE MOTS.

Christian
CHRISTIAN ET BRUCE SE SONT INSTALLÉS SUR LE PONT AVANT ET NE LE QUITTENT PLUS.
BRUCE A PARCOURU LE MONDE SAC AU DOS, PUIS S'EST INSTALLÉ UN JOUR À MADAGASCAR. IL VIT DANS UN VILLAGE ENTOURÉ DE SA FEMME ET D'ENFANTS DE PÊCHEURS.
OUVRIER POLYVALENT, COMME CHRISTIAN, IL PART HIVERNER À KERGUELEN.
JE VIENS D'AVOIR UNE PETITE FILLE, IL FAUT RENFLOUER LA BARQUE DE TEMPS EN TEMPS.
BRUCE ACCOMPAGNE SES MOTS D'UN SOURIRE BIENVEILLANT.
ON L'A SURNOMMÉ "LE CAPITAINE HADDOCK".
TU ME SIGNES LE DESSIN ?
"TINTIN" M'ACCOMPAGNE TOUT AU LONG DE CE VOYAGE.
ET TOUT PARTICULIÈREMENT L'ÉTOILE MYSTÉRIEUSE : L'EXPÉDITION SCIENTIFIQUE, LE PROBLÈME DE RAVITAILLEMENT EN GASOIL, LE MAL DE MER, LA COURSIVE PATINOIRE... JUSQU'AU CAPITAINE HADDOCK !
"TINTIN", MES PREMIÈRES LECTURES. CELLES QUI DÉTERMINÈRENT TRÈS VITE LE CHOIX DE FAIRE, UN JOUR, DE LA BANDE DESSINÉE MON MÉTIER... ET SANS DOUTE CELUI DE VOYAGER.

BABETTE A PARCOURU LE MONDE EN VOILIER.
– NOUS RÊVIONS, MON MARI ET MOI, DE PARTIR UN JOUR AUX KERGUELEN ET D'EMBARQUER À BORD DU MARION.
Babette
– IL EST MORT... JE FAIS CE VOYAGE POUR LUI, POUR NOUS.

C'EST MOI, ÇA ?!
CHRISTIAN AU DESSUS DE L'ETRAVE

JE DEVRAIS ME MÉFIER DE TOI !

À L'HORIZON, LA SILHOUETTE D'UN BATEAU.
MOLLE CURIOSITÉ.
LE COMMANDANT AVAIT MURMURÉ, EN QUITTANT LA RÉUNION : "JE CROIS QUE MAINTENANT IL N'Y AURA QUE NOUS SUR LE RADAR ET PENDANT UN SACRÉ BOUT DE TEMPS."
ALORS QUE VIENT-IL FAIRE ICI, LOIN DE TOUTE VOIE MARITIME ?

ALORS QUE LE "JE" FAIT PLACE AU "NOUS", CHACUN SEMBLE PLONGÉ EN LUI-MÊME.
PEU À PEU, NOUS PRENONS LA MESURE DE L'INFINI QUI NOUS ENTOURE. DE NOTRE VULNÉRABILITÉ.
NOUS SOMMES SEULS.
PLUS DE RETOUR POSSIBLE, PLUS DE PORTABLE, PLUS D'INTERNET, PLUS RIEN DE CE QUI, AUJOURD'HUI, RÉGIT NOTRE QUOTIDIEN ET NOUS RASSURE N'EXISTE ICI.
LES TERRES AUSTRALES SERAIENT COMME LA PROMESSE D'UN TEMPS QUI N'EST PLUS.
ET LE VOYAGE, UNE NOSTALGIE.

CÉDRIC EST LE DIRECTEUR DE LA RÉSERVE NATURELLE DES TAAF. CRÉÉE EN 2006, ELLE EST, DE LOIN, LA PLUS GRANDE DU TERRITOIRE FRANÇAIS.

- CES TERRES D'AVENTURE SONT, DEPUIS CINQUANTE ANS, DEVENUES TERRES DE MISSIONS POUR PLUS DE DEUX CENTS SCIENTIFIQUES.

- C'EST LA PLUS FORTE CONCENTRATION D'OISEAUX MARINS DE LA PLANÈTE, LE SANCTUAIRE D'UNE BIODIVERSITÉ RELATIVEMENT PRÉSERVÉE GRÂCE À SON ÉLOIGNEMENT DE TOUTE TERRE, ET À L'ABSENCE D'IMPLANTATION HUMAINE EN DEHORS DES BASES.

- ET PUIS CETTE MER AUSTRALE EST RICHE DE LANGOUSTES, DE LÉGINES QU'IL FAUT AUSSI PRÉSERVER DES DANGERS DE LA SURPÊCHE.

À 32 ANS, CÉDRIC EST LE PLUS JEUNE DIRECTEUR DE RÉSERVE NATURELLE DE FRANCE. ON SENT QU'IL A BATAILLÉ DUR POUR ACCÉDER À CE POSTE ET AINSI PROTÉGER CEUX À QUI IL VOUE UNE PASSION QUI SEMBLE EXCLUSIVE : LES OISEAUX.

MENER À BIEN DES CONFÉRENCES SCIENTIFIQUES ET LES CONJUGUER AVEC LES SUPERSTITIONS DE LA MARINE PROVOQUE DES SITUATIONS SURRÉALISTES.

(MAIS UNE BÊTE À LONGUES OREILLES. B. L. O.)

J'ADMIRE CETTE CAPACITÉ QU'ONT LES INTERVENANTS À TENIR PARFOIS DEUX HEURES SUR LES ESPÈCES INTRODUITES DANS LES TERRES AUSTRALES SANS JAMAIS PRONONCER LE MOT !

LES B. L. O. CREUSENT DES GALERIES, AFFAIBLISSENT LES SOLS, DÉTRUISENT NOMBRE DE VÉGÉTAUX, MENACENT LES OISEAUX QUI NICHENT DANS DES TERRIERS...

YVES EST LE DIRECTEUR DE L'IPEV.
LE DÉBUT DE L'AUTOMNE SIGNALE AUX PUCERONS L'HEURE DE LA REPRODUCTION...
PERSONNALITÉ ATTENTIVE ET SÉDUISANTE, IL VIT LA SCIENCE AVEC ÉMOTION ET PARTAGE AVEC GOURMANDISE SES PASSIONS.

... LES FEMELLES D'ABORD ET LES MÂLES ENSUITE SE RETROUVENT SOUS UN ARBRE QU'ILS RECONNAISSENT À SES FEUILLES.

MAIS SI LE MÂLE TARDE À SE PRÉSENTER, LES FEUILLES TOMBENT...
... ET LE PUCERON NE RETROUVE PLUS L'ARBRE, NI LES FEMELLES... DONC PAS DE SEXE !

Yves FRENOT
Directeur de l'IPEV
J'AI AINSI UN AMI QUI EST SPÉCIALISÉ DANS L'ÉTUDE DE LA CHUTE DES FEUILLES AFIN DE DÉTERMINER LA PÉRIODE DE REPRODUCTION.

C'EST TRÈS POÉTIQUE, UN MÉTIER OÙ L'ON REGARDE LES FEUILLES TOMBER !
MAIS C'EST TRÈS SÉRIEUX !
LE MONDE SCIENTIFIQUE EST POUR MOI UNE *TERRA INCOGNITA*. J'AVOUE EN CE DOMAINE UNE MÉCONNAISSANCE CRASSE. JE ME CROIS DAVANTAGE DANS LA CONTEMPLATION DU MONDE QUE DANS SA COMPRÉHENSION. J'AURAIS AIMÉ RENCONTRER PLUS TÔT DE TELS PASSEURS.

CE QUI EST FORMIDABLE À BORD, C'EST CETTE EFFERVESCENCE INTELLECTUELLE. DES PERSONNES SI DIVERSES PRÊTES À PARTAGER LEUR PARCOURS, LEUR SAVOIR !

SYLVAIN, L'INGÉNIEUR SPATIAL, EST À BORD POUR OPTIMISER LES PERFORMANCES D'UN SATELLITE QUI PASSERA À LA VERTICALE DE KERGUELEN. DEUX HEURES DE TRAVAIL, UN MOIS DE VOYAGE !
CHRISTIAN L'AUTODIDACTE DEVENU PROF, MAIRE, PUIS SÉNATEUR.
CAROLINE, TOUJOURS À L'AFFÛT, TÉMOIN SENSIBLE DE LA MER ET DES MARINS, MAIS ALLERGIQUE AU POISSON !

MATTHIEU... QUI SAIT TOUT. VRAIMENT TOUT.

DISCRET, ATTENTIF, CURIEUX, IL EST AUSSI INTARISSABLE SUR LA VIE PARLEMENTAIRE QUE SUR LA PÊCHE À LA LÉGINE OU SUR L'ÉVOLUTION DE LA BANDE DESSINÉE...
MAIS OUIII, CE FILM, LÀÀÀ, WATERWORLD, C'EST QUI DÉJÀ, L'ACTEUR PRINCIPAL ?

KEVIN COSTNER.

YANN, LOGISTICIEN DE L'IPEV, A LONGTEMPS TRAVAILLÉ DANS L'HUMANITAIRE. ENVOYÉ SUR DES ZONES DE CONFLITS, SOUMIS À UNE VIE TRÈS RUDE, IL FAILLIT EN MOURIR.

J'AVAIS ARRÊTÉ DE PENSER À MOI.
Yann LE MEUR

IL A POUR MISSION DE RAVITAILLER PAR HÉLICOPTÈRE LES CABANES DISSÉMINÉES SUR LES ÎLES AUSTRALES. DES RÉSERVES ALIMENTAIRES ENFERMÉES DANS DES BIDONS DE PLASTIQUE HERMÉTIQUES, DES TOUQUES, SERVIRONT POUR DES EXPÉDITIONS FUTURES ET ÉVITENT AINSI AUX CHERCHEURS QUI PARTENT PLUSIEURS SEMAINES LOIN DES BASES DE SE CHARGER EN PROVISIONS.

FRANÇOIS, LE SECOND CAPITAINE, QUI TRAVAILLE DEPUIS SEPT ANS SUR LE MARION, ASSURE AVEC LES DEUX BOSCOS DU BORD LE CHARGEMENT ET LE DÉCHARGEMENT DU NAVIRE.
VU LES CONDITIONS CLIMATIQUES, LA PRESSION EXERCÉE SUR L'ÉQUIPAGE LORS DES OPÉRATIONS PORTUAIRES EST FORTE.
MAIS DEPUIS QUELQUE TEMPS, L'EFFECTIF A ÉTÉ RÉDUIT.

FRANÇOIS EST INQUIET.
À FORCE DE TIRER SUR LA CORDE, JE CRAINS QU'ELLE NE CASSE... C'EST LA SÉCURITÉ DE MES GARS ET MA RESPONSABILITÉ QUI SONT EN JEU. C'EST MON DERNIER VOYAGE.

ALAIN, LE CHEF MÉCANO, NOUS A AUTORISÉ À VISITER LES MACHINES.
JE M'ATTENDAIS À QUELQUE CHOSE DE CHAUD, DE GRAS, DE SOMBRE, QUI PUE LE FIOUL. C'EST BRUYANT, ÉTROIT, MAIS FINALEMENT ASSEZ AGRÉABLE : ÇA BOUGE MOINS QU'EN HAUT.

J'AI TROUVÉ LÀ MON REFUGE PAR MER AGITÉE.
JE RAMÈNERAI, DU COUP, NOMBRE DE CROQUIS DES MACHINES !
Machine Mars 10

ÉMILIE, LE SECOND MÉCANO, SE FAUFILE ENTRE LES MOTEURS.
ME DESSINER ? NON, NON, PAS LE TEMPS. JE TE DONNE DEUX MINUTES.

ATTENTION À MON PROFIL, HEIN !
C'EST FINI ?

OUAIS, BOF. POURQUOI TU M'AS FAIT VERTE ?...

- LA LUMIÈRE EST VERTE !
- ... PUIS CE NE SONT PAS DU TOUT MES YEUX...

ELLE A RAISON, IL EST RATÉ, CE DESSIN.

POUR MOI, UN BON DESSINATEUR, C'EST CELUI QUI RÉUSSIRAIT À DESSINER L'ODEUR DES OTARIES.
FRANÇOIS, LE MÉTÉOROLOGUE, EST QUELQU'UN D'EXIGEANT.

LES JOURNÉES PASSENT, IMMOBILES.
CHACUN SEMBLE AVOIR TROUVÉ SES MARQUES.
LES LOCAUX SCIENTIFIQUES DE L'IPEV, ENCORE VIDES JUSQU'À KERGUELEN, ACCUEILLENT CHRISTOPHE. IL Y A FAIT SON ATELIER.
JACQUES Y MONTE SES FILMS.

UNE DOUCE OISIVETÉ S'INSTALLE.

LES CONTRACTUELS RÉUNIONNAIS ONT ÉTABLI LEUR QUARTIER AU FORUM. CERTAINS EN SONT À LEUR QUINZIÈME SÉJOUR DANS LES ÎLES AUSTRALES. ILS SONT LA MÉMOIRE DE CES TERRITOIRES.
– CE N'EST PAS FACILE DE TROUVER DU TRAVAIL À LA RÉUNION... BOSSER DANS LES TAAF, C'EST MIEUX PAYÉ, MAIS ON S'EST SURTOUT ATTACHÉS AUX ÎLES ET À L'AMBIANCE DES BASES.

SEULS LES REPAS PONCTUENT LES JOURNÉES.
LES ANNONCES SONT INVARIABLES.
– DEUXIÈME SERVICE DU DÎNER.

CERTAINS NE SEMBLENT ATTENDRE QUE CELA.
– BON APPÉTIT.

JEAN-CHARLES, LE MAÎTRE D'HÔTEL, EST AUSSI LE MAÎTRE DU TEMPS.
Jean-Charles
Maître d'hôtel
UN PEU DE FROMAGE ?

AU FIL DU VOYAGE, NOUS SOMMES PLUS NOMBREUX À RESTER AU BAR LE SOIR.
L'ARGENT NE CIRCULE PAS À BORD. LES PASSAGERS FONT DES NOTES.
ON OFFRE SANS COMPTER.
THIBAULT, DIDIER ET CHRISTIAN ONT SORTI LES GUITARES.
DU CHEF MÉCANO À L'INGÉNIEUR SPATIAL, DU RÉALISATEUR AU MÉDECIN, DU COMPTABLE DE L'IPEV AU MILITAIRE RETRAITÉ, TOUS S'ACCROCHENT TANT BIEN QUE MAL AU SOUVENIR DES PAROLES D'HUGUES AUFRAY OU DE BRASSENS.

ET QU'IMPORTE SI L'ON CHANTE FAUX OU QUE L'ON TRÉBUCHE SUR UN MOT. ON EST ENSEMBLE.
THIBAULT SAIT CRÉER CETTE CONVIVIALITÉ.
AU RYTHME DE SES ACCORDS, AU CREUX DE SES REPRISES, CERTAINS SE RACONTENT.
CE VOYAGE EST UNE PARENTHÈSE, UN TEMPS ARRÊTÉ.
Thibault Sylvain.
DES COMPLICITÉS SE NOUENT.
CETTE NUIT, NOUS ENTRONS DANS LES QUARANTIÈMES RUGISSANTS.

LA TEMPÉRATURE DE LA MER A CHUTÉ.
DE 25, ELLE EST PASSÉE À 6 DEGRÉS...
LE MARION VIENT DE FRANCHIR LA LIGNE DE CONVERGENCE DES EAUX CHAUDES DE L'OCÉAN INDIEN ET CELLES, GLACÉES, DE L'OCÉAN ANTARCTIQUE.
DE BLEU OUTREMER LA MER EST DEVENUE GRIS DE PAYNE. MÉTALLIQUE.
LE BROUILLARD NOUS ENVELOPPE ET NOUS ENGLOUTIT.
PAS BESOIN DE CORNE DE BRUME. NOUS SOMMES SEULS.
AINSI QU'EN TÉMOIGNENT LES RÉCITS MYTHOLOGIQUES LE BOUT DU MONDE EST PRÉCÉDÉ DE NUÉES.

FINI LES CROQUIS À L'EXTÉRIEUR, JE M'INSTALLE À LA PASSERELLE.

– DEUXIÈME SERVICE DU DÉJEUNER.

LE COMMANDANT A MIS SES PLUS BEAUX ATOURS, ET NOUS INVITE AUTOUR DE LA GRANDE TABLE DES LOCAUX DE L'IPEV.
REJOINT PAR LES PERSONNALITÉS DU BORD, AIDÉS DE QUELQUES VOLONTAIRES, ILS VONT ENSEMBLE TAMPONNER DES CENTAINES DE LETTRES.
CELLES DES PASSAGERS, MAIS AUSSI CELLES DE CENTAINES DE PHILATÉLISTES DU MONDE ENTIER QUI COLLECTIONNENT LES LETTRES ENVOYÉES DU BOUT DU MONDE.
À CHACUN SON TAMPON.
ON DUFRESNE
Le Commandant Pierre COURTES
Courrier posté à bord
Posted at sea
OP2010*1
Paquebot
AILLEURS
KERGUELEN
CROZET
LOIN
A GAUCHE
AMSTERDAM
Baudot Luc
Guide des TAAF
UN COMMERCE LUCRATIF POUR LES TAAF, QUI ONT LE PRIVILÈGE D'ÉMETTRE LEURS PROPRES TIMBRES.
UN RITUEL PLUTÔT AMUSANT.
TAAF
Cédric MARTEAU
Directeur de la réserve
TERRES AUSTRALES FRANÇAISES
TERRES AUSTRALES ET ANTARCTIQUES FRANÇAISES
Le Chef des Opérations
M. Patrice RANNOU
Dr PELZER CELINE
MEDECIN DE BORD
Sur le MARION DUFRESNE
2009/2010
MISSION OP1 2010
HELILAGON
PASSÉ LA CURIOSITÉ DE CETTE PREMIÈRE SÉANCE, LES VOLONTAIRES SERONT MOINS NOMBREUX AUX SUIVANTES.

Coursive
MARION DUFRESNE
Mars 2010

SIX HEURES. TERRE.

FRANÇOIS ET MOI ENFILONS NOS VESTES ET PANTALONS DE QUART.
HIHI ! ON DIRAIT LES DUPONDT !
TOUJOURS ET ENCORE "TINTIN" !

CROZET.

DANS LES COURSIVES,
ON SE BOUSCULE.
EXCITÉS, FÉBRILES.

AU MOMENT DE PASSER À LA COULEUR, LE BLEU INDIGO A VIRÉ AU ROSE.
LA LUMIÈRE QUI CHANGE TRÈS VITE M'OBLIGE À ALLER À L'ESSENTIEL.
MALGRÉ LE FROID QUI M'ENGOURDIT LES DOIGTS, J'AI SORTI LE CRAYON NOIR ET LA BOÎTE D'AQUARELLE.
- Arrivée Crozet
Ile de la Possession
6H30 · 27 Mars 10
LE *MARION* JETTE L'ANCRE À L'À-PIC DES FALAISES NOIRES.
LE BRUIT DES CHAÎNES QUI SE DÉPLOIENT, LA PÉNÉTRATION LOURDE DE L'EAU ONT INTERROMPU QUELQUES SECONDES MA FÉBRILITÉ À SAISIR L'INSTANT.
INCAPABLE DE M'ARRACHER AU SPECTACLE, J'AI LOUPÉ LE PETIT DÉJEUNER.

D'ÉTRANGES NUAGES FLOTTENT AU-DESSUS DE NOUS.
CERTAINS EN FORME DE PLUMES ÉBOURIFFÉES, D'AUTRES DE BALLONS DIRIGEABLES.
L'AIR EST UNE LAME.
LE COULOIR DE LA DZ EST ENCOMBRÉ DE SACS POSTAUX.
LA VIE DANS LES TERRES AUSTRALES A SES RITES.
LE PREMIER VOL EST CELUI DU COURRIER ET DU REPRÉSENTANT DES TAAF.
POSTE
LE SECOND SERA CELUI DES NOUVEAUX HIVERNANTS.
IL EN EST DE MÊME AU RETOUR. LES ANCIENS HIVERNANTS SONT LES DERNIERS À QUITTER L'ÎLE.

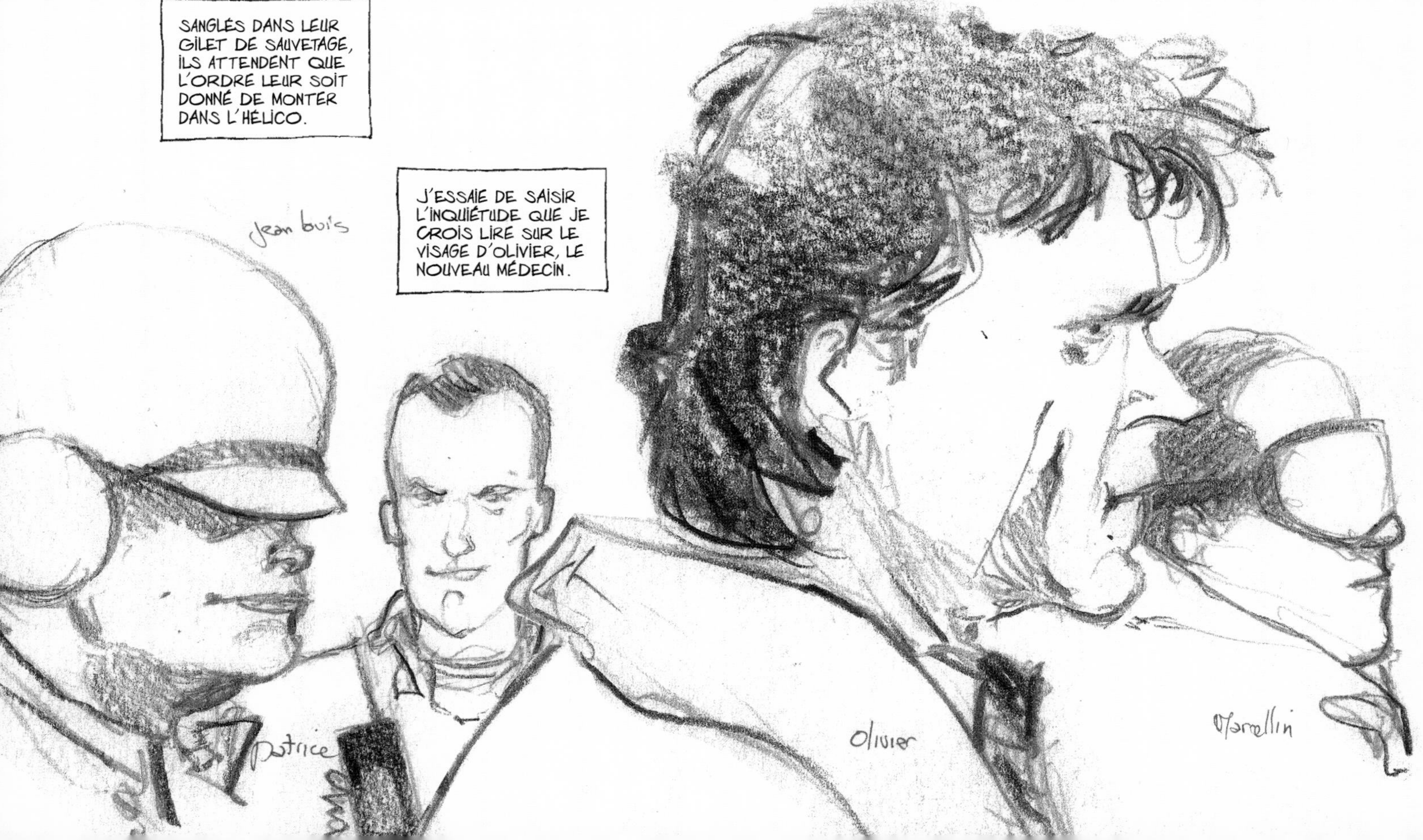
SANGLÉS DANS LEUR GILET DE SAUVETAGE, ILS ATTENDENT QUE L'ORDRE LEUR SOIT DONNÉ DE MONTER DANS L'HÉLICO.
J'ESSAIE DE SAISIR L'INQUIÉTUDE QUE JE CROIS LIRE SUR LE VISAGE D'OLIVIER, LE NOUVEAU MÉDECIN.
Jean buis
Patrice
Olivier
Marcellin

JOUR 10.
BASE ALFRED-FAURE.
ÎLE DE LA POSSESSION.
ARCHIPEL DE CROZET.
HELILAGON

District de CROZET - MISSION 47
T.A.AF
2009-2010
Docteur Fabien Farge
Il croyait avoir touché le fond avec AMS 59, mais il continue à Crozet
- LA BASE -
- Crozet -
- 28 - 3 - 10

SUR LA DZ, UN POMPIER NOUS ACCUEILLE, AINSI QUE DEUX HOMMES SANGLÉS DANS UNE TENUE ORANGE. LES PLAYMOBILS, EN LANGAGE TAAFIEN.

BONJOUR !
BONJOUR.
BONJOUR.
B'JOUR !
BONJOUR.
BONJOUR !
BONJOUR.
BONJOUR.
BONJOUR.
BONJOUR.
B'JOUR.
SALUT !

MAIS... ON SE CONNAÎT !
VRAIMENT ?

NON.
HAHAHA !
FABIEN, LE MÉDECIN DE LA BASE, SOIGNE SON ENTRÉE.

ALFRED-FAURE
28-3
2010
TAAF

AURÉLIEN EST ORNITHOLOGUE. DIX-HUIT MOIS QU'IL EST ICI ! UN AN ET DEMI À N'ÉTUDIER QUE LES OISEAUX, AU MILIEU DE L'OCÉAN ANTARCTIQUE. IL A LE REGARD PÉTILLANT DE CEUX QUI VIVENT LEUR RÊVE.
VOUS DORMIREZ À L'AZORELLE.

ELLE FASCINE TANT LES HIVERNANTS, ME DIT-ON, QU'ON PRÉFÈRE N'AVOIR AUCUNE EMBARCATION SUR LA BASE DE CROZET, DE CRAINTE QUE CERTAINS S'IMAGINENT LA REJOINDRE.
SES HAUTES FALAISES, CHAPEAUTÉES DE BRUME, INVITENT À LA RÊVERIE, SUSCITENT LES LÉGENDES.
ELLE PREND LA FORME DE CES ÎLES MYSTÉRIEUSES QUI HANTENT LES ROMANS DE JULES VERNE ET D'EDGAR ALLAN POE.

À PEINE POSÉ NOTRE SAC, NOUS EMPRUNTONS LA SEULE ROUTE DE L'ÎLE, CELLE QUI DESCEND À LA BAIE DU MARIN.

À UN DÉTOUR DU CHEMIN, UNE ODEUR PESTILENTIELLE NOUS SAISIT.

ÉTRANGE, HEIN ?
C'EST L'ÎLE DE L'EST, LA DEUXIÈME PLUS GRANDE ÎLE DE L'ARCHIPEL CROZET.
UNE RÉSERVE INTÉGRALE. PERSONNE NE PEUT Y POSER LES PIEDS.

PUIS...
PILILI
CRAA
CRAAA
CRAAAA
PILILI
CRAAA
CRAA
CRAAAA

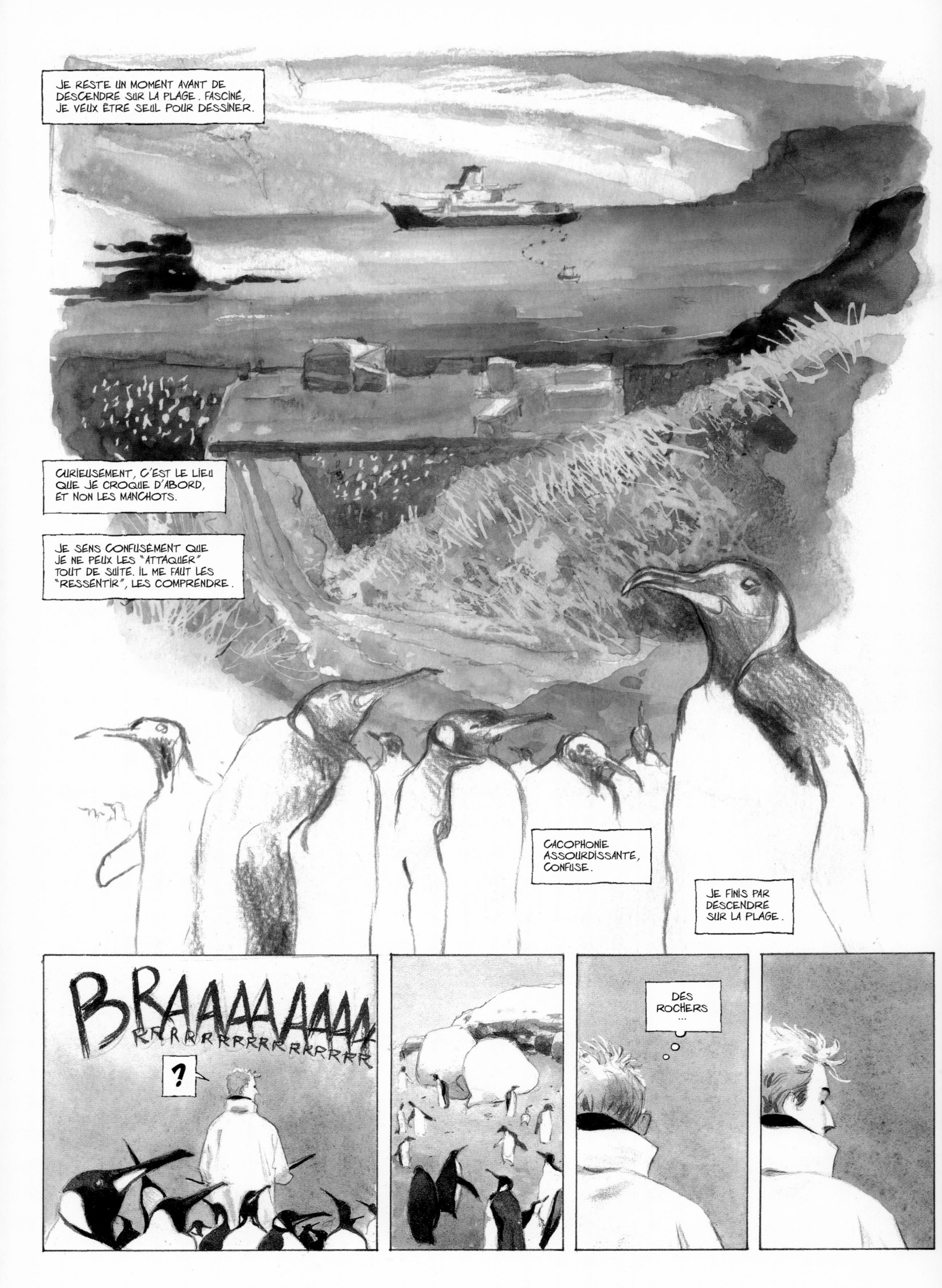

JE RESTE UN MOMENT AVANT DE DESCENDRE SUR LA PLAGE. FASCINÉ, JE VEUX ÊTRE SEUL POUR DESSINER.
CURIEUSEMENT, C'EST LE LIEU QUE JE CROQUE D'ABORD, ET NON LES MANCHOTS.
JE SENS CONFUSÉMENT QUE JE NE PEUX LES "ATTAQUER" TOUT DE SUITE. IL ME FAUT LES "RESSENTIR", LES COMPRENDRE.
CACOPHONIE ASSOURDISSANTE, CONFUSE.
JE FINIS PAR DESCENDRE SUR LA PLAGE.
BRAAAAAAAAA RRRRRRRRRRRRRRRRRR
?
DES ROCHERS ...

DES ÉLÉPHANTS DE MER !
SI J'AVAIS DÉJÀ VU DES PHOTOS DE CES BÊTES ÉTRANGES, JE N'AVAIS PAS POUR AUTANT APPRÉHENDÉ LEUR TAILLE !
OÙ SONT LES YEUX ? OÙ EST LA BOUCHE ? COMMENT ÇA MARCHE ?
JE N'ARRIVE PAS À COMPRENDRE CE QUE JE DESSINE !
SUR LE SABLE, J'ÉCRASE LES CADAVRES ÉVISCÉRÉS DES BÉBÉS MANCHOTS.
ILS CONSTITUENT LE METS PRÉFÉRÉ DES SKUAS ET DES PÉTRELS QUI PROFITENT DE CHAQUE SECONDE D'INATTENTION DES PARENTS POUR FONDRE SUR LEURS VICTIMES...

UN AILLEURS.

LA MANCHE À PÉTROLE A ÉTÉ MISE À L'EAU ET AMENÉE PAR LA PETITE VEDETTE DU MARION JUSQU'AU "PORT PÉTROLIER" DE L'ÎLE.
CE GASOIL TANT ATTENDU À LA RÉUNION EST LIVRÉ À SES DESTINATAIRES. LA BASE N'AURA PAS À SE RESTREINDRE.

JÉRÉMY, ÉTHOLOGUE, ÉTUDIE LE COMPORTEMENT ANIMAL. IL VIT SUR L'ÎLE, COMME AURÉLIEN, DEPUIS DIX-HUIT MOIS.

NOUS TRAVERSONS AVEC LUI LE CHAMP DES ALBATROS, SORTES D'ÉNORMES DINDES BLANCHES POSÉES DANS L'HERBE !

CE SONT LES OISEAUX LES PLUS GRANDS DU MONDE. JUSQU'À TROIS MÈTRES QUATRE-VINGTS D'ENVERGURE !
ILS COUVENT. SURTOUT NE PAS LES STRESSER !
LES PONTES SONT RARES - HUIT SEULEMENT POUR UNE DURÉE DE VIE D'UNE CINQUANTAINE D'ANNÉES.

S'ILS QUITTAIENT LEUR NID NE SERAIT-CE QUE QUELQUES SECONDES, LES PÉTRELS FONDRAIENT SUR L'OEUF.

L'HÉLICOPTÈRE, D'AILLEURS, FAIT UN VIRAGE À CHAQUE VOYAGE POUR ÉVITER LES NIDS.

UN CURIEUX BÂTIMENT EN FORME DE TENTE SURPLOMBE LA BASE. C'EST LA *RÉSIDENCE*.
CELLE DU CHEF DE DISTRICT DE CROZET, COMMUNÉMENT APPELÉ LE *DISCRO*.
DANS LES TAAF, ON AIME LES ACRONYMES.
REPRÉSENTANT DU PRÉFET, IL CONCENTRE ENTRE SES MAINS TOUS LES POUVOIRS ET TOUTES LES RESPONSABILITÉS PENDANT UN AN.
EN CES TERRES LOIN DE TOUT, SA SOLITUDE ME SEMBLE ÉCRASANTE. CHEF D'UNE COMMUNAUTÉ DU BOUT DU MONDE, IL DOIT RÉUSSIR À FAIRE VIVRE ENSEMBLE DES SCIENTIFIQUES, DES MILITAIRES ET DES CONTRACTUELS DE TOUS ÂGES ET DE TOUTES ORIGINES.

MAIS LE VRAI COEUR DE LA BASE EST LE BÂTIMENT DE LA *VIE COM* QUI ABRITE LE BAR, LA SALLE DE JEUX, LA BIBLIOTHÈQUE, LA SALLE À MANGER...
... ET UN VESTIBULE OÙ L'ON DÉPOSE BOTTES ET CHAUSSURES DE MARCHE. CHACUN A SON CASIER OÙ IL Y RETROUVE MULES, CHARENTAISES, CHAUSSONS-CHAUSSETTES OU SABOTS, SELON SES PRÉFÉRENCES.

IL Y A QUELQUE CHOSE DE TRÈS ÉMOUVANT DANS CES REPÈRES.
DES RITUELS QUI SCANDENT LA VIE DES BASES TOUT AUTANT QUE DES NAVIRES.
COMME S'ILS RASSURAIENT, QUAND ALENTOUR LA NATURE EST HOSTILE ET QUE LES HOMMES SONT LIVRÉS À EUX-MÊMES.

ÉNOOORMES PLATEAUX DE CHARCUTERIE, DE SALADES DE RIZ, DE PÂTES, DE FROMAGES, DE GÂTEAUX... UN BUFFET GÉNÉREUX NOUS ATTEND DANS LA SALLE À MANGER.

SYLVAIN, LE *DISCRO*, ACCUEILLE CES VISITEURS QUI DOUBLENT LA POPULATION DE LA BASE.
LES LÉGUMES FRAIS SONT ENCORE À BORD DU *MARION*. CE SOIR, ON AURA DE LA LAITUE !

JE RÊVE DE CROQUER UNE TOMATE.

JUSQU'À IL Y A PEU, LES ÎLES ABRITAIENT DES SERRES OÙ L'ON CULTIVAIT TOMATES, SALADES, ETC. CE QUI PERMETTAIT AUX HIVERNANTS DE MANGER DES LÉGUMES FRAIS TOUTE L'ANNÉE.
CES PLANTES, COMME TOUTES LES PLANTES, ÉTAIENT PORTEUSES DE PARASITES (LIMACES, PUCERONS...) QUI, POUR CERTAINS, RISQUAIENT DE S'ÉCHAPPER DES SERRES ET DE MODIFIER PLUS ENCORE L'ÉCOSYSTÈME DES ÎLES, FRAGILISÉ AU FIL DU TEMPS.

UN CHOIX RADICAL A ALORS ÉTÉ FAIT : LA SUPPRESSION DE TOUTES LES CULTURES SUR CROZET ET KERGUELEN AFIN DE LIMITER L'INTRODUCTION D'ESPÈCES EXOGÈNES.
DANS LA SERRE, IL NE RESTE QU'UN ARBRE FRUITIER. LE SEUL DANS LES ÎLES FRANÇAISES AU-DESSOUS DU QUARANTIÈME PARALLÈLE : UN POMMIER. MAIS POUR COMBIEN DE TEMPS ?

JE RETROUVE OLIVIER, LE MÉDECIN CROISÉ LE MATIN SUR LA DZ. JE LUI MONTRE SON PORTRAIT.
TU AVAIS L'AIR INQUIET.

PASSER DES MOIS ICI, SANS POSSIBILITÉ DE RETOUR... IMAGINE. J'AI HÉSITÉ... J'AVAIS PEUR.

YVES, LE DIRECTEUR DE L'IPEV, EST VISIBLEMENT TRÈS HEUREUX D'ÊTRE ICI. IL FUT LUI-MÊME HIVERNANT À CROZET EN 1982.
IL A PERDU LE COMPTE DES ROTATIONS QU'IL A ACCOMPLIES DEPUIS LORS, MAIS CETTE BASE A SA PRÉFÉRENCE.
ON LE RECONNAÎT AISÉMENT SUR UNE DES PHOTOS ACCROCHÉES AUX MURS. CELLES-CI REPRÉSENTENT CHACUNE DES QUARANTE-SIX MISSIONS MENÉES JUSQU'À AUJOURD'HUI. C'EST L'HISTOIRE QUE NOUS EMBRASSONS D'UN REGARD. SOUDAIN, CES ÎLES S'INCARNENT DANS LES PORTRAITS D'HIVERNANTS SOUVENT HIRSUTES, MAIS JOYEUX... ET EXCLUSIVEMENT MASCULINS JUSQU'AU MILIEU DES ANNÉES 90.

MONSIEUR LE SECRÉTAIRE GÉNÉRAL ?... ON A UN PROBLÈME.

LA MANCHE A PÉTROLE A CASSÉ.
ON DIT QU'IL Y AURAIT UN BLESSÉ... C'EST PAS GRAVE, PARAÎT-IL, MAIS LE TEMPS QU'ILS RÉPARENT ET RACCORDENT LA MANCHE, LE PÉTROLE NE POURRA PAS VOUS ÊTRE LIVRÉ AVANT DEMAIN.
- ... SI LA MÉTÉO LE PERMET.

MARION, UNE PÉTILLANTE JEUNE FEMME, A LA MINE RADIEUSE.
TAAF
CROZET
... OUI, JE FAIS MES LIGNES DE PINGOUINS.
ELLE EST "MANCHOLOGUE".

- ON NE DIT PAS PINGOUINS, MAIS MANCHOTS. LES PINGOUINS, ÇA VIT DANS L'HÉMISPHÈRE NORD ET ÇA VOLE ! ON EN TROUVE CHEZ VOUS, EN BRETAGNE, PAR EXEMPLE !
- LÀ, CE SONT DES MANCHOTS. MANCHOTS PAPOUS, MANCHOTS ROYAUX OU EMPEREURS EN ANTARCTIQUE.
- C'EST UNE ERREUR COURANTE. LES ANGLAIS DISENT "PENGUIN", LES ESPAGNOLS "PINGÜINO", MAIS EN FRANÇAIS, C'EST "MANCHOT".
- MAIS DANS L'ARCHIPEL DE CROZET, IL Y A L'ÎLE DES PINGOUINS ?
- ... DONT LE SOMMET S'APPELLE LE MONT DES MANCHOTS... OUI, ÇA N'AIDE PAS.
FRANÇOIS ET MOI RESTONS JUSQU'À LA NUIT TOMBÉE, SUBJUGUÉS PAR LE SPECTACLE QUE NOUS OFFRENT CES PIN... CES MANCHOTS.

C'EST LA TUILE.

LES LÉGUMES TANT DÉSIRÉS SONT ARRIVÉS... CONGELÉS.

UNE BÊTE ERREUR HUMAINE AU DÉPART DE LA RÉUNION : UN THERMOMÈTRE RÉGLÉ TROP BAS (-20 DEGRÉS AU LIEU DE +4).

POT D'ACCUEIL. LE BAR EST OUVERT.
- TRENTE MÈTRES CUBES DE GASOIL SEULEMENT ONT ÉTÉ LIVRÉS. C'EST INSUFFISANT POUR TENIR JUSQU'EN AOÛT, À MOINS DE FONCTIONNER AU RALENTI.
- IL PARAÎT QUE LE TEMPS SE DÉGRADE...
- JE NE COMPRENDS PAS UNE ERREUR PAREILLE.
- PERSONNE N'A RIEN VU.
- ON VA ESSAYER DE FAIRE VENIR UN AUTRE BATEAU - DE PÊCHE OU DE LA MARINE - DE MANIÈRE QU'ILS NE RESTENT PAS SANS LÉGUMES FRAIS JUSQU'À LA PROCHAINE ROTATION D'AOÛT.
- ON A DES NOUVELLES DU BLESSÉ ?

ÇA COÛTERA CE QU'IL FAUDRA, MAIS ILS SERONT RAVITAILLÉS !
DANS DES CAS COMME ÇA, ON POURRAIT SE DIRE QU'IL EST DOMMAGE D'AVOIR SUPPRIMÉ LES SERRES, NON ?
SI L'ON VEUT LIMITER LE RISQUE D'INTRODUIRE DES ESPÈCES EXOGÈNES, IL FALLAIT LE FAIRE.
C. Marteau
(cedric)
– D'ACCORD, MAIS IL Y A DES HOMMES ICI.
ON A FAIT LE CHOIX DE FAIRE DES TAAF UNE RÉSERVE NATURELLE, ON DOIT EN ASSUMER LES CONSÉQUENCES.
ON NE REVIENDRA JAMAIS À L'ÉTAT INITIAL, MAIS AU MOINS TÂCHONS DE LIMITER L'IMPACT DES ESPÈCES INTRODUITES SUR L'ENVIRONNEMENT ET DE PRÉSERVER AINSI LA BIODIVERSITÉ.
– OUI, MAIS VIVRE DES MOIS SANS POUVOIR MANGER DES FRUITS OU DES LÉGUMES FRAIS, C'EST DUR POUR LE MORAL, QUAND MÊME ! SURTOUT À DES MILLIERS DE KILOMÈTRES DE TOUTE TERRE HABITÉE !
– CE SONT DES SCIENTIFIQUES, ILS COMPRENNENT TRÈS BIEN POURQUOI NOUS AVONS FAIT CELA.
– ÇA RESTE DES HOMMES...
– CE N'EST PAS UNE COLONIE DE VACANCES.
PAR BIEN DES ASPECTS POURTANT, JE RETROUVE LÀ CETTE FRATERNITÉ PROPRE À LA VIE EN GROUPE.
JE FAIS CONNAISSANCE DE PERSONNALITÉS SACRÉMENT ATTACHANTES... ET DRÔLES.
J'ERRAIS DANS LA FORÊT TROPICALE DEPUIS DES SEMAINES, J'AVAIS PERDU AU MOINS CENT KILOS...
C'EST DIRE QU'IL RESTAIT DE LA MARGE...
RÉMY, ESPRIT CAUSTIQUE ET SENSIBLE, EST LE RESPONSABLE DES VOLONTAIRES À L'AIDE TECHNIQUE... LES *VAT*, QUI CONSTITUENT L'ESSENTIEL DES SCIENTIFIQUES DE LA BASE. TOUS ONT MOINS DE TRENTE ANS.
CE SONT DES JEUNES GENS PASSIONNANTS CAR PASSIONNÉS PAR CE QU'ILS FONT.

TOUT COMME ALICE QUI ELLE AUSSI TERMINE LA CAMPAGNE D'ÉTÉ.
CAMILLE, QUI LUI RESTE POUR L'HIVER, EST SISMOLOGUE.
LUDOVIC, RESPONSABLE CHAUD/FROID (FRIGORISTE, DONC), EST UN MILITAIRE. UN AN LOIN DE SES ENFANTS, C'EST LONG...
JEAN-MICHEL, TECHNICIEN, CONNAÎT BIEN LES TAAF. IL A TRAVAILLÉ DANS LES ÎLES ÉPARSES DANS LE CANAL DU MOZAMBIQUE ET SUR L'ÎLE AMSTERDAM.
ASTRID ÉTUDIE LA MOTRICITÉ DES MANCHOTS. ELLE VIENT DE PASSER QUATRE MOIS SUR L'ÎLE...

JOUR 11.

DÈS L'AUBE, LES OPÉRATIONS PORTUAIRES ONT RECOMMENCÉ.
UNE LONGUE HOULE DU SUD BAT LES FLANCS DU MARION.

IMPOSSIBLE DE METTRE À L'EAU LA PORTIÈRE. CE RADEAU EST UNE VÉRITABLE RELIQUE DES TERRES AUSTRALES SUR LAQUELLE SONT POSÉS LES CONTENEURS. DEPUIS SOIXANTE ANS, ON N'A PAS TROUVÉ MIEUX POUR DÉCHARGER LES NAVIRES... QUAND LA MER LE PERMET.

SEUL L'HÉLICO PEUT ALORS LIVRER LE MATÉRIEL...
... MAIS PAS PLUS DE 750 KILOS À CHAQUE VOL.

DEUXIÈME TENTATIVE DE MISE À L'EAU DE LA MANCHE À PÉTROLE.
DEUXIÈME ÉCHEC.
LA TENSION EXERCÉE PAR LA HOULE EST TROP FORTE.

UNE DÉCOUVERTE CE MATIN : LE MAL DE TERRE.

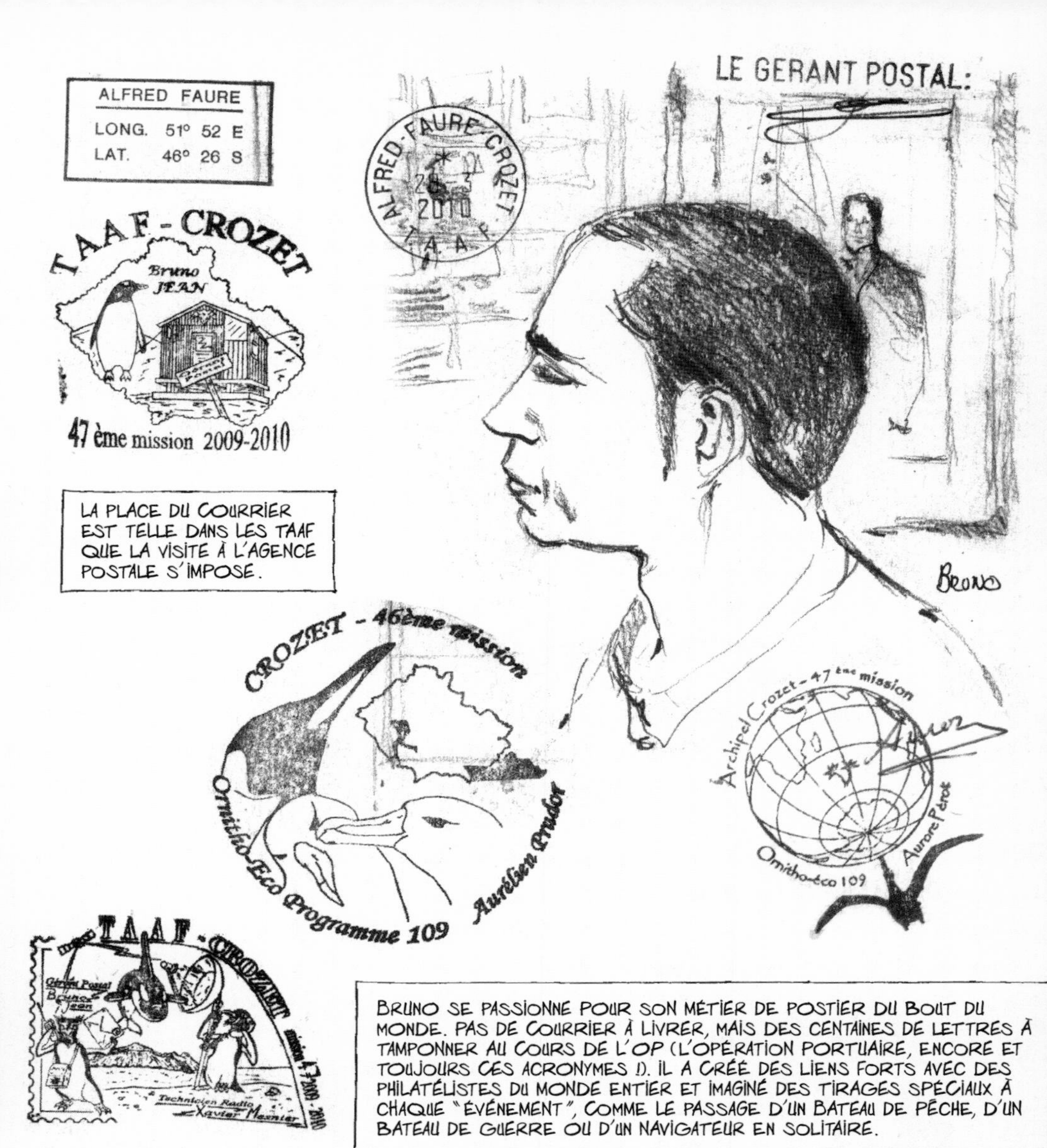
ALFRED FAURE
LONG. 51° 52 E
LAT. 46° 26 S
TAAF - CROZET
Bruno JEAN
47 ème mission 2009-2010
LA PLACE DU COURRIER EST TELLE DANS LES TAAF QUE LA VISITE À L'AGENCE POSTALE S'IMPOSE.
LE GERANT POSTAL:
ALFRED-FAURE-CROZET
2010
T.A.A.F
BRUNO
CROZET - 46ème mission
Ornitho-Eco Programme 109
Aurélien Prudor
Archipel Crozet - 47 ème mission
Ornitho-éco 109
Aurore Pérot
T.A.A.F - CROZET
BRUNO SE PASSIONNE POUR SON MÉTIER DE POSTIER DU BOUT DU MONDE. PAS DE COURRIER À LIVRER, MAIS DES CENTAINES DE LETTRES À TAMPONNER AU COURS DE L'OP (L'OPÉRATION PORTUAIRE, ENCORE ET TOUJOURS CES ACRONYMES !). IL A CRÉÉ DES LIENS FORTS AVEC DES PHILATÉLISTES DU MONDE ENTIER ET IMAGINÉ DES TIRAGES SPÉCIAUX À CHAQUE "ÉVÉNEMENT", COMME LE PASSAGE D'UN BATEAU DE PÊCHE, D'UN BATEAU DE GUERRE OU D'UN NAVIGATEUR EN SOLITAIRE.

N'AURAIS-JE DONC AUCUN RÉPIT ?

À MIDI, LES QUINZE TOURISTES NOUS ONT REJOINTS.
LA POPULATION DE LA BASE A TRIPLÉ EN QUELQUES HEURES.

LES HIVERNANTS, SANS DOUTE HEUREUX AU DÉBUT DE VOIR DE NOUVELLES TÊTES, SE SENTENT MAINTENANT DÉPOSSÉDÉS DE LEUR ÎLE.
ILS NOUS ONT LAISSÉ LA SALLE À MANGER ET SE SONT RÉFUGIÉS DANS UN COIN DU BAR.

IMAGINEZ QUE QUARANTE PERSONNES QUE VOUS NE CONNAISSEZ PAS DÉBARQUENT CHEZ VOUS ET S'INSTALLENT SANS AVOIR ÉTÉ INVITÉES... C'EST UN PEU CE QU'ILS RESSENTENT.

CET APRÈS-MIDI, L'HÉLICO NOUS DÉPOSE TOUS, *TOURISTES*, *MÉDIAS* (C'EST AINSI QUE L'ON QUALIFIE FRANÇOIS, CAROLINE ET MOI, AINSI QUE LES DEUX RÉALISATEURS, JEAN-MANUEL ET JACQUES) ET *VIP* (LES "PERSONNALITÉS" DU BORD) À QUELQUES KILOMÈTRES DE LA BASE : À LA BAIE AMÉRICAINE, OU BAIE US... OU *BUS*.
AU BOUT D'UNE LONGUE PLAGE DE SABLE NOIR BAIGNÉE PAR LA RIVIÈRE MOBY DICK, DEUX CABANES (OU *ARBEC*) ACCUEILLENT LES SCIENTIFIQUES EN *MANIP* (SORTIE SUR LE TERRAIN).

Bus.

ENCORE CE LANGAGE TAAFIEN, TRANSMIS DE MISSION EN MISSION.

AU DÉBUT DE CE VOYAGE, ENTENDRE CES NOMS, LONGTEMPS RÊVÉS, TRANSFORMÉS EN BORBORYGMES ME HEURTAIT. UNE NOVLANGUE AUSTRALE !

CROZET DEVENAIT UNE MARQUE DE BIÈRE, CRO, KERGUELEN, CE NOM QUI ÉVEILLA MES RÊVES DE TERRES INCONNUES, SE RÉDUISAIT MAINTENANT À KER ET PERDAIT DE SA DOUCEUR, AMSTERDAM, QUE CHANTAIT BREL, AMS. TOUT CELA PARTICIPAIT, POUR MOI, AU DÉSENCHANTEMENT DU MONDE...

PUIS, PEU À PEU, JE COMPRENDS QUE CE LANGAGE TISSE UN LIEN ENTRE CEUX QUI ONT FOULÉ LES TERRES AUSTRALES, IL ÉTABLIT LA CONNIVENCE, CRÉE LA TRIBU...

TOUT COMME LES RITUELS, LE LANGAGE FAVORISE CETTE COHÉSION NÉCESSAIRE POUR AFFRONTER LES DIFFICULTÉS SOUS CES LATITUDES.

MAIS D'AUTRES NOMS ME RÉCONCILIENT AVEC LE PARFUM DES ROMANS D'AVENTURE : L'ARÊTE DES DJINNS, LE CAP DE L'ANTARÈS, LA RIVIÈRE MOBY DICK, LA CRIQUE DU SPHINX, LA BAIE DU PETIT CAPORAL, LA VALLÉE DES BRANLOIRES...

ET LA BANDE DESSINÉE N'EST PAS EN RESTE : LES MANCHOTS DE CROZET SONT SURNOMMÉS LES *ALFRED*. EN RÉFÉRENCE À LA BASE ALFRED-FAURE, MAIS AUSSI AU FAMEUX PINGOUIN, MASCOTTE DE ZIG ET PUCE DANS LA BANDE DESSINÉE D'ALAIN SAINT-OGAN... QUI INSPIRA HERGÉ.

LES PÉTRELS GÉANTS, CE SONT LES *CRACOUS*, EN HOMMAGE AU CRACOUCASS DES SCHTROUMPFS, À QUI ILS RESSEMBLENT.

JE ME SUIS ASSIS SUR LE SABLE. LE PANTALON DE QUART NE M'A PAS PROTÉGÉ LONGTEMPS DE L'HUMIDITÉ.

DESSINER OBLIGE À SE POSER.

LE TEMPS EST SUSPENDU.

SEULS QUELQUES CRIS DE MANCHOTS RAYENT LE SILENCE AVANT D'ÊTRE À NOUVEAU ENGLOUTIS PAR CELUI-CI.

PAS DE VENT.

RETOUR SUR LA BASE.
QU'AURAIS-JE VU DE BUS ?
JE N'AURAIS PAS QUITTÉ LA PLAGE, JE N'AURAIS PAS PLONGÉ LA MAIN DANS CE LAC EN FORME DE CŒUR NI PARCOURU LES CHAMPS D'OTARIES NI LES VESTIGES D'UN VILLAGE PHOQUIER...

IL ME FAUDRAIT DES JOURS, DES SEMAINES, DES MOIS MÊME, POUR APPRÉHENDER CES LIEUX, EN SAISIR L'ESSENCE, PERCER L'ÉTRANGE FASCINATION QU'ILS EXERCENT.
MAIS LE TEMPS MANQUE ET JE NE SUIS PAS SEUL.
UNE SOURDE FRUSTRATION S'INSTALLE EN MOI ET NE ME QUITTERA PLUS.
JE NE FAIS... QUE PASSER.
J'ENVIE CES HIVERNANTS QUI SILLONNENT CETTE ÎLE PAS APRÈS PAS, JOUR APRÈS JOUR. QU'APPRENNENT-ILS DE L'ÎLE, QU'APPRENNENT-ILS DES AUTRES, QU'APPRENNENT-ILS D'EUX-MÊMES ?

LES PASSAGERS TOURISTES ONT REJOINT LE BATEAU.

DE NOUVEAU "ENTRE EUX", LES HIVERNANTS ONT ATTENDU, COMME DES COLLÉGIENS, QUE LES VIP SOIENT COUCHÉS POUR FAIRE "PÉTER LES BASSES".

NOUS SOMMES CONVIÉS À LA FÊTE.
NOUS SOMMES ADOUBÉS.

JOUR 12.
CE MATIN, ON MARCHE À L'HORIZONTALE.
LA VITESSE DU VENT DÉPASSE LES 120 KILOMÈTRES-HEURE !

J'ESSAIE NÉANMOINS DE DESSINER L'ÎLE DE L'EST QUI CONTINUE DE M'INTERROGER.
J'ABANDONNERAI QUAND LA PLUIE S'EN MÊLERA.
JE CRAINS AUSSI QUE LE CARNET SOIT EMPORTÉ.
Grogret.
29 mars 10

JEAN-MANUEL ET JACQUES ONT, EUX AUSSI, AFFRONTÉ LE VENT POUR METTRE EN BOÎTE QUELQUES IMAGES.
TU VEUX TON CERTIFICAT DE " DESSINATEUR DE L'EXTRÊME" ?

ON REMBARQUE À 14 HEURES.
DÉJÀ ?
IL PARAÎT QUE DEMAIN CE SERA PIRE !

LES HEURES PASSENT. LE MARION EST MALMENÉ.
AUCUNE OPÉRATION PORTUAIRE N'EST POSSIBLE.

LE VENT EMPORTE MAINTENANT LES CASCADES VERS LE CIEL.

CHACUN S'EST ENFERMÉ DANS SA CHAMBRE... ET ATTEND.
LA BASE EST IMMOBILE.

LES TOUQUES N'ONT PU ÊTRE DÉPOSÉES EN HÉLICO DANS LES ARBEC, CE QUI COMPROMET LES MISSIONS SCIENTIFIQUES À VENIR.

FRANÇOIS, LE SECOND, ESPÈRE L'ACCALMIE. IL SAIT QUE SI LE VENT PEUT SE LEVER EN QUELQUES SECONDES, IL PEUT TOMBER TOUT AUSSI BRUTALEMENT.

PAS UNE MINUTE À PERDRE. LE TEMPS EST COMPTÉ.

IL FAUT REMONTER SUR LA DZ.
VOUS REMBARQUEZ CE SOIR.

MÊME LES HIVERNANTS ?
TOUT LE MONDE. ON N'EST PAS SÛRS QUE DEMAIN LA MÉTÉO PERMETTE LES OPÉRATIONS AÉROPORTÉES.
TAAF

VOUS N'AUREZ PAS VOTRE TRADITIONNELLE DERNIÈRE SOIRÉE ENTRE VOUS ?

– NON. PAS NOUS...

SUR LA BASE, C'EST MAINTENANT L'EFFERVESCENCE.
L'HÉLICO DÉCHARGE CAISSE APRÈS CAISSE ET REPART AVEC LES DÉCHETS QUI SERONT TRAITÉS À LA RÉUNION. PLUS RIEN NE RESTE SUR LES ÎLES.
TOUS LES CROZÉTIENS S'Y METTENT.
ENTRE DEUX SLINGS DE L'HÉLICOPTÈRE SE RETROUVENT CEUX QUI RESTENT ET CEUX QUI PARTENT.
LES DERNIERS MOMENTS NE SERONT PAS CEUX QU'ILS AURAIENT SOUHAITÉS. S'ILS COMPRENNENT LA SITUATION D'URGENCE, ILS N'EN SONT PAS MOINS AMERS.

LA GRAVITÉ SE LIT SUR LES VISAGES, MÊME SI ELLE SE DISSIMULE DERRIÈRE DES PLAISANTERIES DE POTACHES.

LES COUPLES S'ABANDONNENT DANS LEURS DERNIÈRES ÉTREINTES.

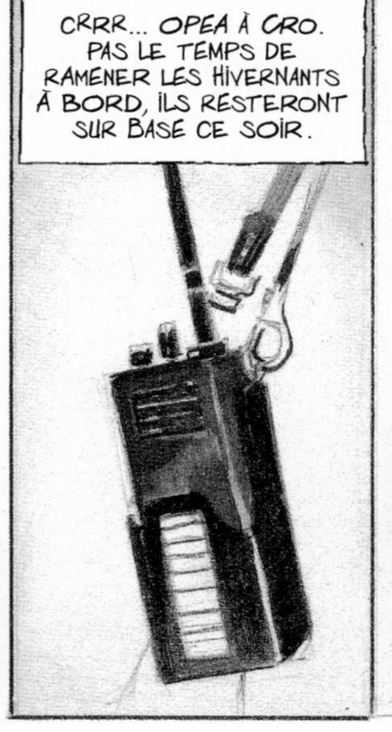
CRRR... OPEA À CRO. PAS LE TEMPS DE RAMENER LES HIVERNANTS À BORD, ILS RESTERONT SUR BASE CE SOIR.

LES SLINGS S'ACCÉLÈRENT. LA FENÊTRE MÉTÉO PEUT SE FERMER D'UN INSTANT À L'AUTRE.
LES CAISSES VOLENT ET LES CROZÉTIENS VIREVOLTENT.
SPECTACLE CHAOTIQUE, FASCINANT. C'EST LE BALLET DES PLAYMOBILS, POMPIERS, HIVERNANTS, CAMPAGNARDS D'ÉTÉ, DÉCUPLÉ PAR LE BONHEUR QU'ILS AURONT À SE RETROUVER RIEN QU'ENTRE EUX CE SOIR. COMME IL EST DE TRADITION À LA FIN D'UNE OP.
DÉCISION DU SECRÉTAIRE GÉNÉRAL. VOUS EMBARQUEZ FINALEMENT CE SOIR. PAR SÉCURITÉ.

SOUDAIN, UN SIGNE.

SALUT, LES FRANGINS.

POLAIRE

TOUT EST ALLÉ TRÈS VITE.
COMME D'UN RÊVE DONT ON S'ÉVEILLE BRUTALEMENT, NOUS AVONS CHANGÉ D'UNIVERS. EN QUELQUES SECONDES NOUS SOMMES DE RETOUR "CHEZ NOUS".

NOUS NOUS RETROUVONS DANS LA CABINE, ABASOURDIS PAR CE DONT NOUS VENONS D'ÊTRE TÉMOINS.
François LEPAGE
photographe

– DEUXIÈME SERVICE DU DÎNER. BON APPÉTIT.
FRANÇOIS ÉCRIRA :
"J'AI SENTI LEURS REGARDS INQUIETS DANS CE MOMENT QU'ILS AURAIENT SANS DOUTE VOULU VIVRE SANS PARTAGE, SANS D'AUTRES YEUX QUE CEUX DE LEURS COMPAGNONS AVEC QUI ILS VENAIENT DE VIVRE UNE PARTIE SI INTENSE DE LEUR EXISTENCE. J'AI PENSÉ À CETTE PHRASE DE DIDIER LEFÈVRE, DANS SON LIVRE "LE PHOTOGRAPHE" : MIEUX PHOTOGRAPHIER, C'EST S'AMÉLIORER HUMAINEMENT. J'AI DÉPOSÉ MON APPAREIL."

AU BAR, JE M'ÉTONNE DE NE PAS VOIR LES CROZETIENS.

ILS SONT RESTÉS SUR L'ÎLE.
AH, BON, MAIS J'AVAIS CRU COMPRENDRE QUE LE SECRÉTAIRE GÉNÉRAL AVAIT DÉCIDÉ QUE TOUT LE MONDE DEVAIT RENTRER CE SOIR...

– L'OPEA ET LE PILOTE ONT ESTIMÉ QUE, LA NUIT VENANT, LA VISIBILITÉ N'ÉTAIT PAS SUFFISANTE POUR LES EMBARQUER.

JE VOUS OFFRE UN VERRE ?

JOUR 13.
TOUT L'ÉQUIPAGE EST MOBILISÉ SUR LE PONT ARRIÈRE POUR UNE ULTIME TENTATIVE DE MISE À L'EAU DE LA MANCHE À GASOIL.

L'HUMIDITÉ GLACIALE TRANSPERCE LES HOMMES JUSQU'AUX OS.

LES INQUIÉTUDES DE FRANÇOIS, LE SECOND CAPITAINE, ÉTAIENT FONDÉES.
RÉDUIRE L'ÉQUIPAGE, C'ÉTAIT COMPROMETTRE LES OPÉRATIONS PORTUAIRES.

JUSQU'À L'AN DERNIER, LORS D'UNE FENÊTRE MÉTÉO, NOUS POUVIONS FAIRE TROIS OPÉRATIONS EN MÊME TEMPS : METTRE LA PORTIÈRE À L'EAU, RAVITAILLER EN GASOIL ET ASSURER LES LIVRAISONS HÉLIPORTÉES.

- MAINTENANT, NOUS NE POUVONS EN FAIRE QUE DEUX. IL NOUS FAUT DONC PLUS DE TEMPS POUR FAIRE LES MÊMES CHOSES... MAIS CE TEMPS, NOUS NE L'AVONS PAS TOUJOURS.

CES HOMMES QUI SE DÉMÈNENT POUR QUE D'AUTRES HOMMES, ICI, AU BOUT DU MONDE, PUISSENT CONTINUER À FAIRE VIVRE DES PROJETS SCIENTIFIQUES INVITENT AU RESPECT.

LE FROID LES MORD TOUJOURS DAVANTAGE, LA VISIBILITÉ FAIBLIT, LES EFFLUVES DE PÉTROLE IMPRÈGNENT LES VÊTEMENTS ET LA PEAU, LES YEUX PLEURENT... MAIS ILS TIENNENT.

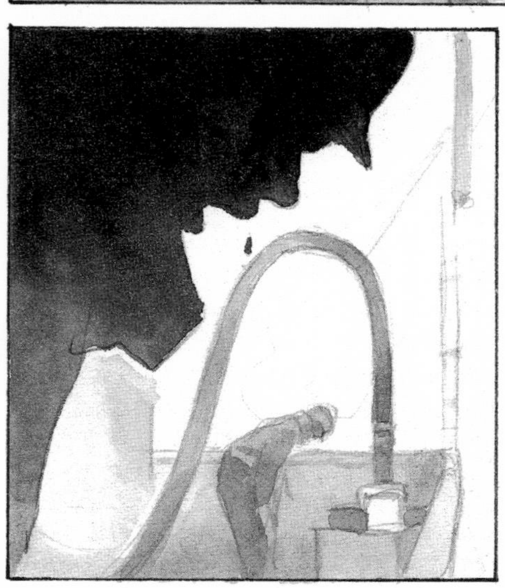

GHISLAINE A BRAVÉ LE FROID, LE TEMPS D'UNE CIGARETTE, POUR ASSISTER AUX OPÉRATIONS.
QUAND, À CAUSE DE RESTRICTIONS BUDGÉTAIRES, ON NOUS AVAIT PROPOSÉ, AU CONSEIL CONSULTATIF DES TAAF, LA RÉDUCTION DES MEMBRES DE L'ÉQUIPAGE, ON N'AVAIT RIEN TROUVÉ À REDIRE. LE MARION SEMBLAIT EN SURNOMBRE PAR RAPPORT À D'AUTRES NAVIRES.

MAINTENANT QUE JE VOIS ÇA, JE COMPRENDS POURQUOI LE BATEAU AVAIT BESOIN DE CET ÉQUIPAGE.
J'EN PARLERAI À MON RETOUR. CE N'EST PAS VIABLE AINSI.

NOUVEL ÉCHEC...
SERVICE TECHNIQUE TAAF
CMA CGM

PATRICK, LE SECRÉTAIRE GÉNÉRAL, N'A PAS QUITTÉ LE PONT DE LA JOURNÉE.

TROP DE TEMPS A ÉTÉ PERDU DEPUIS LE DÉBUT DU VOYAGE. IL FAUT ABSOLUMENT APPAREILLER POUR KERGUELEN.
À LA PROUE, C'EST LE BALLET DES SLINGS. LES CONTENEURS ONT ÉTÉ VIDÉS, LE MATÉRIEL DISTRIBUÉ EN PAQUETS DE 750 KILOS. DES ALLURES DE SAUVE-QUI-PEUT.

ILS SONT LÀ.
BLOTTIS DANS UN COIN DE LA PASSERELLE, LES CROZÉTIENS ÉCHANGENT LES DERNIERS MOTS À LA VHF AVEC CEUX QUI PASSERONT L'HIVER SUR L'ÎLE DE LA POSSESSION.

UN LANGAGE TRIBAL, PROPRE À CEUX QUI ONT PASSÉ DES MOIS ENSEMBLE.

TÔÔÔT
MARION DUFRESNE

CE SOIR, AU BAR, L'AMBIANCE EST TENDUE.
LE RAVITAILLEMENT A ÉTÉ UN ÉCHEC.
LA DÉCEPTION, L'AMERTUME SE LISENT SUR LES VISAGES.
L'ÉQUIPEMENT DES CABANES N'A PU ÊTRE FAIT, CE QUI COMPROMET LES MANIPS À VENIR.

LES PROCHAINS VAT À PARTIR DANS LES CABANES DEVRONT SE RESTREINDRE OU PORTER, EN PLUS DU RESTE, LEUR NOURRITURE. PLUS ENNUYEUX, DES ÉCHANTILLONS DE ROCHES LAISSÉS SUR SITE PAR DES GÉOLOGUES N'ONT PU ÊTRE RÉCUPÉRÉS. CE QUI RETARDERA LES TRAVAUX DES LABORATOIRES QUI DEVAIENT TRAVAILLER À PARTIR DE CES ÉCHANTILLONS.

LES CROZÉTIENS SE SONT INSTALLÉS DANS UN COIN DU BAR.
NOUS ÉTIONS CHEZ EUX, ILS SONT À PRÉSENT "CHEZ NOUS". COMME DES ORPHELINS. LE BATEAU DEVIENT LE SAS DE DÉCOMPRESSION AVANT QUE CHACUN REVIENNE À LA VIE "RÉELLE".

MARCELLIN, QUI A TRAVAILLÉ SUR LE SYSTÈME INFORMATIQUE DE LA BASE, EST FURIEUX.
L'HÉLICOPTÈRE, QUAND LA MÉTÉO EST COMME ÇA, NE DEVRAIT SERVIR QU'AU RAVITAILLEMENT, PAS À TRIMBALLER DES TOURISTES, DES VIP OU DES MÉDIAS À BAIE AMÉRICAINE OU JE NE SAIS OÙ ! IL Y A DES PRIORITÉS !

D'AILLEURS, JE NE COMPRENDS PAS CE QUE VOUS FAITES À BORD. C'EST UN NAVIRE SCIENTIFIQUE, ET CES BASES APPARTIENNENT AUX SCIENTIFIQUES !

MAIS CES TOURISTES FONT CONNAÎTRE CES ÎLES, DIFFUSENT VOTRE TRAVAIL, VOS RECHERCHES...

... CE SONT DES PASSEURS !

... OUI, VOULOIR RAMENER LES HIVERNANTS HIER SOIR N'ÉTAIT PAS UNE BONNE DÉCISION.

LA MER À NOUVEAU.

À PRÈS DE 4 000 KILOMÈTRES DES PREMIÈRES CÔTES, LOIN DES VOIES MARITIMES, JE PRENDS CONSCIENCE DE L'IMPORTANCE DU LIEN, DU RITE AU-DELÀ DE LA MISSION MÊME.
LES TERRES AUSTRALES SONT UNE COMMUNAUTÉ.

AUJOURD'HUI NOUS
AVONS CHANGÉ D'HEURE.

ÉTRANGE, LÀ OÙ LE
TEMPS NE VEUT PLUS
DIRE GRAND CHOSE !

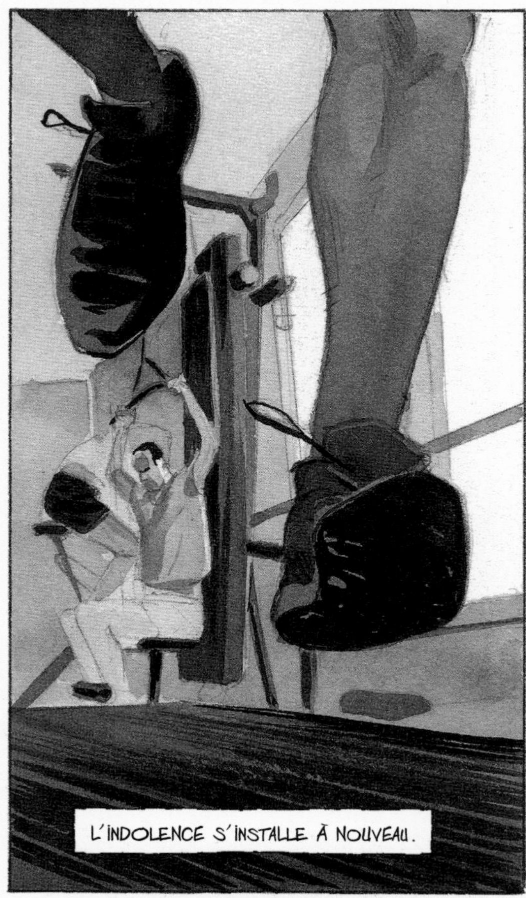
L'INDOLENCE S'INSTALLE À NOUVEAU.

ON ATTEND.
François
travaille dans
la cabine

hers enfants,
ardi dans la nuit, nous avons
uitté l'Archipel Crozet et laissé
ur place pour plusieurs mois
ne petite vingtaine de pers
ui y passeront l'hiver aus
Nous revoici en mer...

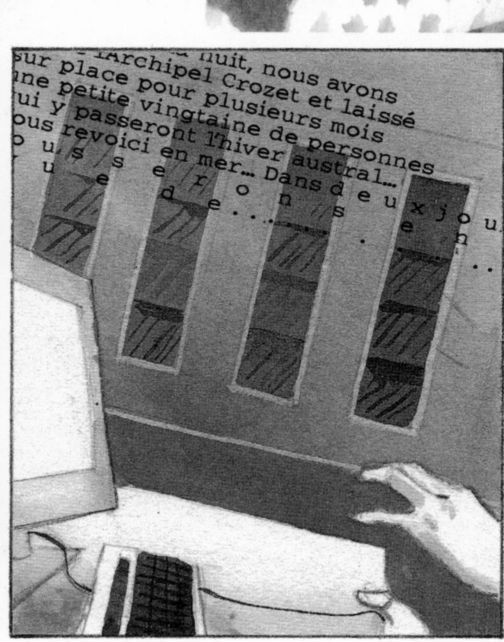
l'Archipel Crozet et laissé
sur place pour plusieurs mois
une petite vingtaine de personnes
ui y passeront l'hiver austral...
ous revoici en mer... Dans deux jou

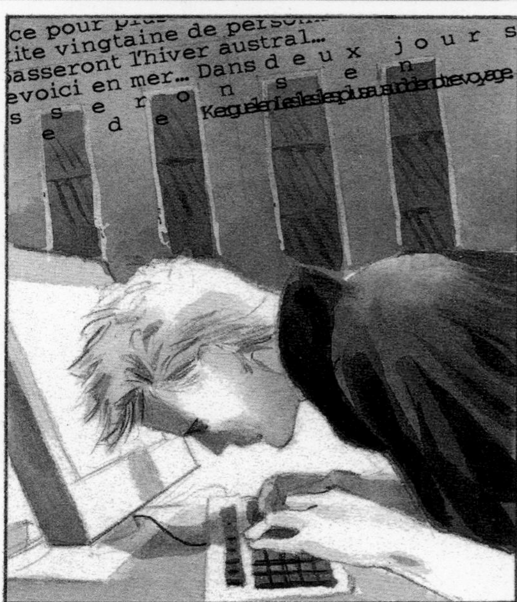
tite vingtaine de person
passeront l'hiver austral...
revoici en mer... Dans d e u x   j o u r s

JÉRÉMY, AURÉLIEN ET ONÉSIME ONT PASSÉ DIX-HUIT MOIS À CROZET.

ÇA DOIT ÊTRE PARFOIS DUR DE VIVRE AINSI LOIN DE TOUT, LOIN DES SIENS, DANS CES CONDITIONS CLIMATIQUES ?

NON, C'EST DE REVENIR QUI EST DIFFICILE.

– LA SEULE CHOSE QUE NOUS AVONS À FAIRE LÀ-BAS, C'EST DE NOUS CONSACRER À NOTRE TRAVAIL.

– PAS DE COURSES, PAS DE CUISINE.
– NOUS N'AVONS MÊME PAS D'ARGENT !
– SURTOUT, IL Y A LES AUTRES, LA VIE DE GROUPE, LES MANIPS À TRAVERS L'ÎLE QUAND NOUS PARTONS POUR PLUSIEURS JOURS, VOIRE PLUSIEURS SEMAINES LOIN DE LA BASE, PAR PETITS GROUPES DE QUATRE OU CINQ.
LES MOTS SONT PLATS. POURTANT, À LEURS SILENCES, JE SENS CONFUSÉMENT LA COMPLICITÉ QUI FUT LA LEUR PENDANT CES MOIS AU BOUT DU MONDE.
JE LES ENVIE.

MARION DUFRESNE

JOUR 15.
DEMAIN, À L'AUBE, NOUS SERONS À KERGUELEN.

IL RÈGNE À BORD UNE GRANDE FÉBRILITÉ.
APRÈS LES DÉBOIRES DE L'OP À CROZET, CELLE DE KERGUELEN SE DOIT DE RÉUSSIR.

C'EST LA FIN DU VOYAGE POUR BRUCE ET CHRISTIAN.

OPE

JE CALME MON IMPATIENCE EN TERMINANT QUELQUES CROQUIS LAISSÉS EN PLAN. LA BANNETTE DEVIENT "LIT À DESSIN".
CAROLINE, COINCÉE ENTRE PORTE ET COMBINAISON DE SAUVETAGE, SE PLONGE DANS LA RÉDACTION DU BLOG ET D'UN LIVRE À VENIR.

FRANÇOIS.
JEAN-PAUL KAUFFMANN
L'arche des Kerguelen

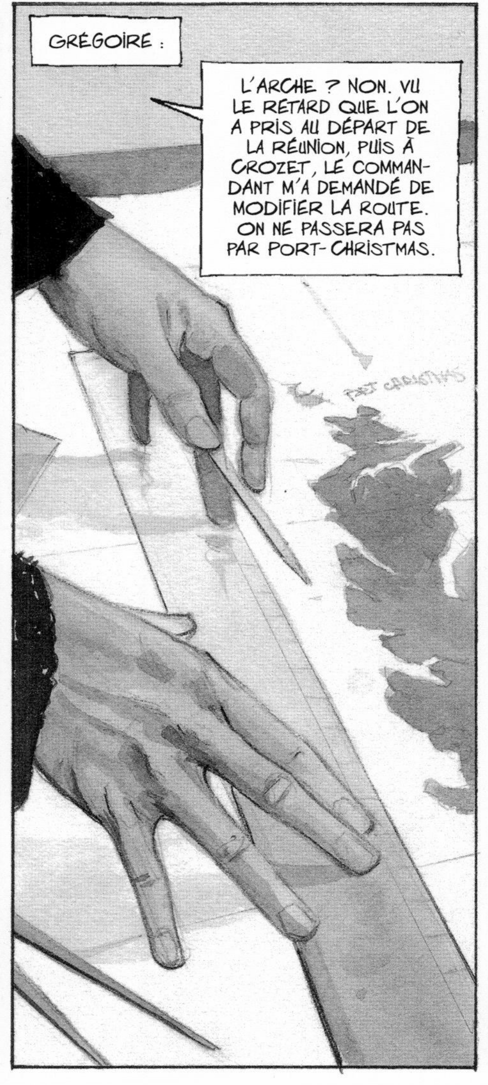
GRÉGOIRE :
L'ARCHE ? NON. VU LE RETARD QUE L'ON A PRIS AU DÉPART DE LA RÉUNION, PUIS À CROZET, LE COMMANDANT M'A DEMANDÉ DE MODIFIER LA ROUTE. ON NE PASSERA PAS PAR PORT-CHRISTMAS.

DÉCEPTION.
NOUS NE VERRONS PAS L'ARCHE.
LA PORTE DES ÎLES DE LA DÉSOLATION.

YVES JOSEPH DE KERGUELEN DE TRÉMAREC, LE DÉCOUVREUR DE CES ÎLES, LUI NON PLUS NE LA VIT JAMAIS.

PRIÉ PAR LOUIS XV DE DÉCOUVRIR LE CONTINENT AUSTRAL QUE CERTAINS AVENTURIERS PRÉTENDAIENT AVOIR ENTRAPERÇU, CE MARIN BRETON, À LA TÊTE DE DEUX NAVIRES, LA FORTUNE ET LE GROS VENTRE, LEVA L'ANCRE DE L'ÎLE DE FRANCE (AUJOURD'HUI ÎLE MAURICE) EN JANVIER 1772.
LA FIN DU XVIIIe SIÈCLE ANNONÇAIT LE CRÉPUSCULE DES GRANDES DÉCOUVERTES, MAIS YVES JOSEPH DE KERGUELEN ÉTAIT GONFLÉ DES RÉCITS DES GRANDS EXPLORATEURS.

LE 13 FÉVRIER 1772, IL CRUT DÉCOUVRIR SON ÉDEN AUSTRAL.

POURTANT, LES TERRES QUI S'OFFRAIENT À SON REGARD SEMBLAIENT DÉSOLÉES.
LES CONDITIONS CLIMATIQUES NE LUI PERMIRENT PAS DE POSER LE PIED À TERRE. MAIS LE VOULAIT-IL ?
IL ENVOYA LE SECOND BATEAU - LE GROS VENTRE - S'APPROCHER DE LA CÔTE ET PRENDRE POSSESSION DE CE QU'IL CROYAIT ENCORE ÊTRE UN CONTINENT.

LA TEMPÊTE SÉPARA LES NAVIRES. CRUT-IL LE GROS VENTRE PERDU ? KERGUELEN RENTRA EN FRANCE FAIRE PART AU ROI DE SA PIÈTRE DÉCOUVERTE.

EST-CE PAR DÉSESPOIR, PAR ORGUEIL OU PARCE QUE LA VÉRITÉ ÉTAIT INTOLÉRABLE, QU'IL SE CONVAINQUIT, ENCOURAGÉ EN CELA PAR TOUS CEUX QUI RÊVAIENT D'UN CONTINENT AUSTRAL, QUE CES TERRES DEVINÉES À TRAVERS LES BRUMES ÉTAIENT COUVERTES DE PRAIRIES, D'ARBRES ET, POURQUOI PAS, PEUPLÉES D'ÊTRES HUMAINS ?
LE RÊVE ÉTAIT-IL SI FOR CHEZ LUI COMME CHEZ C QUI RECUEILLAIENT SON RÉCIT, QUE TOUS FINIREN PAR CROIRE À UNE NOUVELLE AMÉRIQUE ?

LÀ NON PLUS IL NE DÉBARQUA PAS, SANS DOUTE RENDU AMER PAR L'ÉVIDENCE : CETTE TERRE QUI DEVAIT LUI ASSURER LA GLOIRE N'ÉTAIT QUE DÉSOLATION !
LE CAPITAINE COOK, QUI QUATRE ANS PLUS TARD DÉCOUVRIT L'ARCHE, COMPRIT IMMÉDIATEMENT QU'IL NE S'AGISSAIT QUE D'UNE ÎLE.

CE N'EST QUE BIEN PLUS TARD QUE L'ON DONNA SON NOM À CES TERRES QUI LUI VALURENT SA CHUTE.
QUELLE EST DONC CETTE TERRE QUI SUSCITE TANT D'ESPOIR, TANT D'EXALTATION, QUI SEMBLE ÉVEILLER DES DÉSIRS SI PROFONDS, SI INTIMES, PRESQUE INAVOUABLES ?

A RÉAPPARITION DU GROS VENTRE N AUSTRALIE ET LE TÉMOIGNAGE QU'EN FIT LE SECOND DU NAVIRE ONTREDIRENT LE RÉCIT DE ERGUELEN, UN PEU PLUS ENJOLIVÉ HAQUE FOIS.
QU'EN ÉTAIT-IL VRAIMENT DE CE CONTINENT AUSTRAL ?
LE ROI IMPOSA À KERGUELEN UNE SECONDE EXPÉDITION.

KERGUELEN RENTRA ABATTU DE CE SECOND VOYAGE.
DÉCOUVREUR DÉCHU, IL FUT JUGÉ, DÉGRADÉ ET ENFERMÉ. ON L'ACCUSA, ENTRE AUTRES, D'AVOIR EMMENÉ SA MAÎTRESSE À BORD ET D'AVOIR COMMIS DES ERREURS DE COMMANDEMENT. MAIS NE LUI REPROCHAIT-ON PAS, AU FOND, D'AVOIR BRISÉ UN RÊVE, D'AVOIR DÉCOUVERT L'ENFER ET NON UN ÉDEN AUSTRAL ?

JOUR 16.
KERGUELEN, 6H30. BAIE D'AUDIERNE, PÉNINSULE RALLIER DU BATY.
LE RÉVEIL EST UN RÊVE.
LA VOICI, CETTE TERRE QUI A NOURRI L'IMAGINAIRE DES MARINS, OBSÉDÉ LES POÈTES.

L'ATLANTIDE AUSTRALE.
LE MONDE DU BOUT DU MONDE.

CETTE TERRE QUI CLÔT L'ÈRE DES GRANDES DÉCOUVERTES.
CET ARCHIPEL OÙ LES RÊVES DE CONQUÊTE SE SONT BRISÉS.

MALGRÉ LE VENT EN RAFALES, L'HÉLICO DÉCOLLE.

IL DOIT RÉCUPÉRER DES CABANES ET LES RAMENER D'UN BLOC À BORD.

LE VENT DÉCAPITE LES VAGUES TURQUOISE.

JE ME SUIS RÉFUGIÉ SUR LA PASSERELLE. LES RAFALES MANQUAIENT D'EMPORTER MON CARNET.
L'HÉLICO RENTRE BREDOUILLE.
KERGUELEN
Peninsule Rallier du Baty
2 avril 10

ÇA SE GÂTE.
60.1
.70.0
LE VENT POINTE À PRÉSENT À 120 KILOMÈTRES À L'HEURE. AU-DELÀ DES 100, VOLER DEVIENT TRÈS DANGEREUX. L'INQUIÉTUDE S'INSTALLE.

TANT PIS.
MALGRÉ LEUR COURAGE, LES HOMMES DU BORD ET LE PILOTE NE PEUVENT LUTTER CONTRE LES ÉLÉMENTS.
CES TERRES ENSEIGNENT L'HUMILITÉ.
DIRECTION LA PLAINE AMPÈRE AU FOND DE LA BAIE DE LA TABLE.

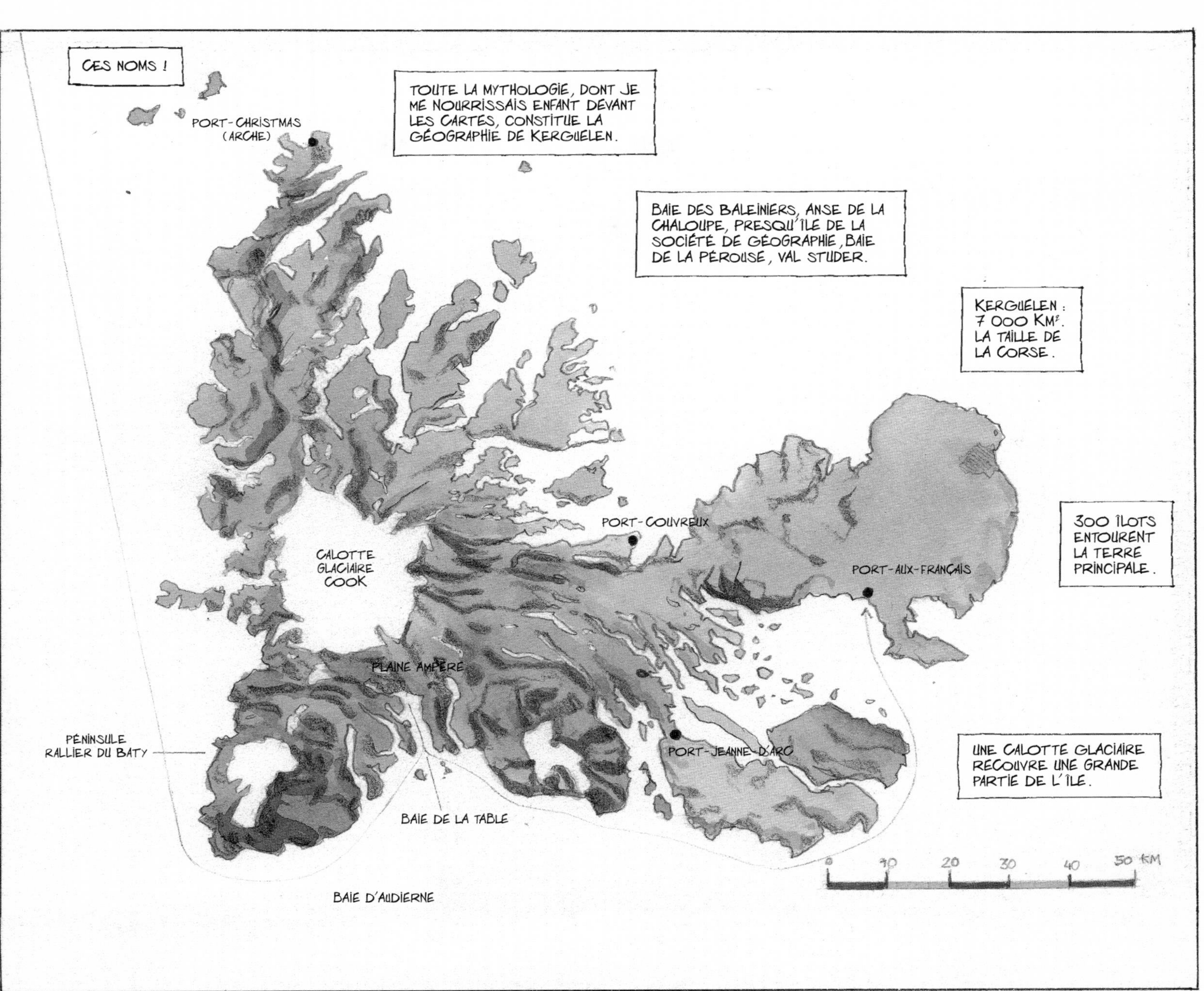
CES NOMS !
TOUTE LA MYTHOLOGIE, DONT JE ME NOURRISSAIS ENFANT DEVANT LES CARTES, CONSTITUE LA GÉOGRAPHIE DE KERGUELEN.
BAIE DES BALEINIERS, ANSE DE LA CHALOUPE, PRESQU'ÎLE DE LA SOCIÉTÉ DE GÉOGRAPHIE, BAIE DE LA PÉROUSE, VAL STUDER.
KERGUELEN : 7 000 KM². LA TAILLE DE LA CORSE.
300 ÎLOTS ENTOURENT LA TERRE PRINCIPALE.
UNE CALOTTE GLACIAIRE RECOUVRE UNE GRANDE PARTIE DE L'ÎLE.
PORT-CHRISTMAS (ARCHE)
CALOTTE GLACIAIRE COOK
PORT-COUVREUX
PORT-AUX-FRANÇAIS
PLAINE AMPÈRE
PÉNINSULE RALLIER DU BATY
PORT-JEANNE-D'ARC
BAIE DE LA TABLE
BAIE D'AUDIERNE
0 10 20 30 40 50 KM

LE *MARION* ENTRE À PETITE ALLURE DANS UN FJORD ÉTROIT. AU FOND, DEVANT NOUS, LE GLACIER COOK.

L'ARBEC DE LA MORTADELLE, AU PIED DU GLACIER, DOIT ÊTRE CONTRÔLÉ ET RAVITAILLÉ. CÉDRIC ME PROPOSE D'ÊTRE DU VOYAGE.
HELILAGON
- JE NE SAIS PAS SI ÇA TE SERA UTILE. VOUS NE RESTEREZ QUE VINGT MINUTES.
J'AI ENFILÉ LE GILET DE SAUVETAGE, PRIS LES PINCES POUR TENIR LES FEUILLES DU CARNET (INDISPENSABLES, COMPTE TENU DU VENT !).

JE VAIS POSER LE PIED SUR KERGUELEN ! KER-GUE-LEN !

JE SUIS SUR LA LUNE.

la plaine Ampère
2. 4. 10
KERGUELEN

UN UNIVERS MINÉRAL
BATTU PAR LES VENTS.

JE SENS CETTE FORCE
TELLURIQUE SOUS LES PIEDS.
UNE MOUSSE SPONGIEUSE TENTE
DE S'ACCROCHER À UNE ROCHE
NOIRE, TRANCHANTE.

GLISSANTE.

LE FROID, LA PLUIE HORIZONTALE.
J'ESSAIE DE CROQUER LE GLACIER, TACHE TURQUOISE ENCHÂSSÉE DANS DES CAMAÏEUX D'OCRES, DE BRUNS ET DE NOIRS.
LE PAPIER EST DÉTREMPÉ, SE GONDOLE, SE PLIE, SOUS LES BOURRASQUES. LE CRAYON ACCROCHE À PEINE... J'ESQUISSE DEUX DESSINS, MAIS L'HÉLICO EST DÉJÀ DE RETOUR.

JE LES FINIRAI À BORD, DE MÉMOIRE... ET D'ÉMOTION.

YVES JETTE UN REGARD INQUIET SUR LE GLACIER.

COOK FOND DE 250 MÈTRES PAR AN.
– L'ARBEC DE LA MORTADELLE, JE L'AI CONNU AU PIED DU GLACIER ! LE RÉCHAUFFEMENT CLIMATIQUE PLANÉTAIRE, LIÉ À L'ACTIVITÉ HUMAINE, EST UNE RÉALITÉ VISIBLE À KERGUÉLEN.
– LA TEMPÉRATURE MOYENNE A AUGMENTÉ DE 1,3 DEGRÉ EN MOINS DE QUARANTE ANS ET IL PLEUT SENSIBLEMENT MOINS.
– SI ON AVAIT LA MÊME CHOSE EN MÉTROPOLE, IL Y AURAIT DES VIGNES DANS LE PAS-DE-CALAIS !

LE CIEL S'EST SOUDAIN DÉCHIRÉ.
NOUS LONGEONS LA CÔTE SUD DE L'ÎLE.

LE VENT NE FAIBLIT PAS.

DES PAQUETS DE MER VENANT DIRECTEMENT DE L'ANTARCTIQUE SE FRACASSENT SUR DES CATHÉDRALES DE BASALTE QUI SEMBLENT AVOIR SURGI, FUMANTES, DES ENTRAILLES DE LA TERRE.

LE SPECTACLE DE L'AUBE DU MONDE S'OFFRE À NOS REGARDS INCRÉDULES.

AU FOND DU GOLFE DU MORBIHAN.
PORT-AUX-FRANÇAIS.

ÉQUIPAGE, SCIENTIFIQUES, TOURISTES, VIP ET MÉDIAS, TOUT LE MONDE EST SUR LA PASSERELLE. LE COMMANDANT A REVÊTU SON UNIFORME. LES DERNIÈRES MANŒUVRES SE FONT DANS UN SILENCE SOLENNEL.
J'y étais ! Caroline
CAROLINE EST SUBMERGÉE PAR L'ÉMOTION.
PASSERELLE DU MARION En vue de PAF - 2 AVRIL 2010

L'ANCRE S'ENFONCE ENTRE LES LAMINAIRES QUI ENTOURENT LE BATEAU. CES LONGUES ALGUES QUI ÉMERGENT PARFOIS ET TRANSFORMENT LA SURFACE DE L'EAU EN UNE CURIEUSE MÉLASSE FILANDREUSE.

SUR LA DZ, QUELQUES PERSONNES, QUELQUES MAINS TENDUES, DONT CELLES DE LA CHEF DE DISTRICT DE KERGUELEN... LA DISKER.
DES REGARDS QUI S'INTERROGENT, SCRUTENT CES VISAGES NOUVEAUX, LES PREMIERS DEPUIS DES MOIS.
UNE GÊNE PASSAGÈRE À L'ARRIVÉE DES NOUVEAUX HIVERNANTS ?
PAS SEULEMENT.

UNE BANDEROLE FLOTTE AU VENT...

POUR NOTRE SANTÉ MANGEONS
5 FRUITS ET LÉGUMES FRAIS / JOUR
LA NOUVELLE DE LA MÉSAVENTURE DES LÉGUMES CONGELÉS NOUS A PRÉCÉDÉS.

LA TENSION EST PALPABLE.
À L'APPROCHE DE LA FIN DE LA MISSION, LES ESPRITS SEMBLENT ÉCHAUFFÉS, DES CLANS SE SONT FORMÉS. IL Y A PLUS DE PERSONNES À KERGUELEN QU'À CROZET ET C'EST SANS DOUTE PLUS DIFFICILE ENCORE À GÉRER POUR UN CHEF DE DISTRICT.
PATRICK, LE SECRÉTAIRE GÉNÉRAL, PREND LA PAROLE POUR TENTER D'APAISER LA SITUATION.

IL PARLE DE MISSION, DE COMMUNAUTÉ, DE FRATERNITÉ.

EN QUELQUES SEMAINES À BORD, CET HOMME DISCRET, QUI VIVAIT LÀ SON PREMIER VOYAGE DANS LES TERRES AUSTRALES, A COMPRIS L'IMPORTANCE DU LIEN QUI UNIT CES FEMMES ET CES HOMMES DU BOUT DU MONDE...

ET IL ACHÈVE SON DISCOURS PAR UN INCROYABLE :
VIVE LA RÉPUBLIQUE !
CETTE EXCLAMATION EN D'AUTRES LIEUX, PAR D'AUTRES BOUCHES, M'AURAIT SEMBLÉ RIDICULE. ELLE REPREND, ICI, AU BOUT DU MONDE, TOUT SON SENS, TOUTE SA FORCE SYMBOLIQUE.

AU BUFFET, LE MANQUE DE PRODUITS FRAIS SE FAIT PARTICULIÈREMENT SENTIR. PLUS D'ENTRÉES, PLUS DE DESSERTS, MAIS D'IMMENSES PLATEAUX DE CHARCUTERIE, DE VIANDE, DE FROMAGES, DES RAVIERS DE FÉCULENTS... ET CE DEPUIS DES SEMAINES.
LES CUISINIERS FONT PREUVE D'UNE GRANDE IMAGINATION POUR TENTER DE FAIRE OUBLIER LA PÉNURIE DES DENRÉES DE BASE.

UN CONCERT NOUS EST PROPOSÉ À TOTOCHE, L'UNIQUE BAR DE KERGUELEN.
LAURENT, LE MÉDECIN DE LA BASE, ACCOMPAGNÉ PAR HENRI LE CHARPENTIER ET FRANÇOIS LE "TRUITOLOGUE", ENCHAÎNE LES STANDARDS DE ROCK.

SUR LE PAS DE LA VIE COM, JE FAIS LA CONNAISSANCE DE MAURICE, CHERCHEUR À L'INRA, CAMPAGNARD D'ÉTÉ.

UN CHAT SAUVAGE S'APPROCHE, HIRSUTE ET BORGNE.

BONSOIR.
UNE DES NOMBREUSES PLAIES DE L'ÎLE. ILS S'ATTAQUENT AUX OISEAUX ET FONT D'ÉNORMES DÉGÂTS.

OUI, IL Y A D'AUTRES FÊTES AILLEURS.

SI CROZET NOUS AVAIT OFFERT LE VISAGE D'UNE COMMUNAUTÉ TRÈS UNIE, PRESQUE MONOLITHIQUE, KERGUELEN ME SEMBLE PLUS DIVERSE, PLUS COMPLEXE, PLUS MULTIPLE. PLUS FRAGILE AUSSI.

PORT-AUX-FRANÇAIS. PAF.
PEUPLÉ PAR LES PAFIENS.
LA PLUS GRANDE BASE DES TERRES AUSTRALES FRANÇAISES. PLUS D'UNE CENTAINE DE PERSONNES PENDANT L'ÉTÉ AUSTRAL, UNE CINQUANTAINE L'HIVER.

ICI ET LÀ, DE ROBUSTES CONSTRUCTIONS MÉTALLIQUES, LES FILLODS, DU NOM DU CONCEPTEUR DES PREMIERS BÂTIMENTS MONTÉS À PAF, IL Y A SOIXANTE ANS.

L'ANCIENNE TOUR MÉTÉO, UN BEAU BÂTIMENT EN BOIS AU COEUR DU VILLAGE QUI VIENT D'ÊTRE RECONVERTI EN BIBLIOTHÈQUE.
M

LES FILLODS ONT ÉTÉ REMPLACÉES DANS LES ANNÉES 70 PAR DES BÂTIMENTS EN FORME DE L (C'EST D'AILLEURS LEUR NOM). CHACUN ABRITE UN CORPS DE MÉTIER DIFFÉRENT.
KERATHLON
À FOND LES FORMES

À DÉCOUVRIR LA BASE EN COMPAGNIE DE CAROLINE, NOUS NE POUVIONS QUE NOUS DIRIGER TRÈS VITE ... VERS L'ANCIENNE CALE.
UNE TRÈS FORTE ODEUR DE VARECH NOUS SAISIT.
SUR LE QUAI : LE CAFÉ DU PORT. PAS ÉTONNANT QUE TANT DE BRETONS AIENT ARPENTÉ CES ÎLES. ÇA RESSEMBLE À LA MAISON !
L'ABRI COTIER

LE MARION A MIS À L'EAU LA MANCHE À PÉTROLE. TROIS CENTS MÈTRES CUBES DE GASOIL VONT ÊTRE LIVRÉS. À LA FOIS POUR LA BASE ET POUR LES RARES BATEAUX AUTORISÉS À PÊCHER DANS CES ZONES EXTRÊMEMENT RÉGLEMENTÉES QUI PEUVENT S'ARRÊTER ICI, PARFOIS, EN CAS DE PROBLÈME.
Port aux Francais
3 - 4 - 10

PAF RESSEMBLE... À RIEN. CONGLOMÉRAT ANARCHIQUE QUE NE SEMBLE STRUCTURER QUE LA ROUTE QUI LE TRAVERSE DEPUIS LE PORT JUSQU'À LA RÉSIDENCE.

ROUTE OÙ L'ON CROISE UN ÉTRANGE PANNEAU... QUI N'EST PAS QU'UN TRAIT D'HUMOUR. IL Y A VRAIMENT DES ÉLÉPHANTS DE MER QUI S'INSTALLENT AU CHAUD SUR LE BITUME !
Port aux français
3 - 4 - 10

QUELQUES VESTIGES, POSÉS ICI ET LÀ, TÉMOIGNENT DE L'ÉPOPÉE DES CHASSEURS DE PHOQUES, QUAND LA GRAISSE DE CES ANIMAUX SERVAIT ENCORE D'ÉCLAIRAGE.

DES MONCEAUX DE DÉCHETS HÉTÉROCLITES S'ACCUMULENT DEPUIS DES DÉCENNIES, QUE LE MARION REMBARQUE PETIT À PETIT.

UNE CHAPELLE DOMINE LA BASE.

À QUAI, L'AVENTURE II. LE CHALAND.
LE NAVIRE DE PORT-AUX-FRANÇAIS.
IL SERT POUR LE RAVITAILLEMENT LORS DES OP ET POUR AMENER LES SCIENTIFIQUES EN MANIPS.
SON FAIBLE TIRANT D'EAU NE LUI PERMET PAS DE QUITTER LE GOLFE DU MORBIHAN. MAIS IL NAVIGUE SANS PROBLÈME SUR LES HAUTS-FONDS ET SE FAUFILE UN PEU PARTOUT.
C'EST LE SEUL MOYEN DE TRANSPORT AU-DELÀ DE LA BASE.

FREGATE
TOURVILLE
COMME À BORD DU MARION, LES TROIS MARINS DU CHALAND ONT COMPRIS QUE CAROLINE ÉTAIT DES LEURS.
FRANCK ET LES DEUX SEB APPARTIENNENT À LA MARINE NATIONALE.
Sébastien
VENIR À KERGUELEN ÉTAIT, POUR EUX, UN RÊVE. MAIS TENIR LA BARRE DE L'AVENTURE II REQUIERT DES COMPÉTENCES TRÈS PARTICULIÈRES QUE NOUS ALLONS APPRENDRE À CONNAÎTRE.

APRÈS LE CAFÉ AU CARRÉ DU CHALAND, LES MARINS NOUS PROPOSENT DE LES ACCOMPAGNER EN MER...

L'AVENTURE II S'AMARRE À COUPLE DU MARION.
NOUS DÉCOUVRONS CELUI-CI AU RAS DE L'EAU. UNE MURAILLE.
IL EST PLUS BEAU ENCORE. DÉCIDÉMENT, J'AIME DESSINER CE NAVIRE. SUR LA FEUILLE, JE ME L'APPROPRIE CHAQUE FOIS DAVANTAGE.

LE PREMIER CONTENEUR A ÉMERGÉ DE LA CALE. UN MATELOT LE RETIENT D'UNE CORDE AFIN QU'IL NE SE BALANCE PAS TROP.

FRANCK CONTRÔLE SON CHALAND AVEC DOIGTÉ, AFIN DE RÉCEPTIONNER LE CONTENEUR EN DOUCEUR.

ON A DE LA CHANCE.
LA MER EST RELATIVEMENT CALME CE MATIN, PAS DE VENT.
IL EST ARRIVÉ QUE DES CONTENEURS FINISSENT AU FOND DU GOLFE.

À PEINE POSÉ, LE CHARGEMENT EST DESSAISI PAR LES DEUX SEB, BONDISSANTS, VIREVOLTANTS...

... MALGRÉ LA HOULE QUI FROTTE LES NAVIRES L'UN CONTRE L'AUTRE.

ILS VONT EMPILER CAISSE APRÈS CAISSE.
LE CHALAND PEUT ACCUEILLIR JUSQU'À TRENTE TONNES.

DES VIRTUOSES.

SUR LES HAUTEURS DE LA BASE :
NOTRE-DAME-DES-VENTS.

PARCE QUE LES HOMMES PASSENT, D'UNE ANNÉE SUR L'AUTRE.
PARCE QU'UNE MISSION ME SEMBLE EFFACER LA MÉMOIRE DE LA PRÉCÉDENTE...
... J'ESPÈRE TROUVER DANS CETTE CHAPELLE DES SIGNES DE CETTE HISTOIRE QUI ME MANQUE, PARFOIS, DANS LES MOTS DE MES COMPAGNONS DE VOYAGE.

SUR LES MURS, DES PLAQUES À LA MÉMOIRE DE CES PIONNIERS MORTS EN MISSION.

DES DRAMES QUI RAPPELLENT LA RUDESSE DE CES TERRES AUSTRALES.
à la mémoire de Jac
décédé accide
le 28 mai 2000

LE 16 DECEMBRE 1957
A ETE BENI LE MARIAGE
A PORT AUX FRANCAIS
DE MARC PECHENART
ET DE
MARTINE RAULIN
CE MEME JOUR
MARTINE PECHENART
A SCELLÉ LA PREMIERE PIERRE

PAX
MONDE
NOUVEAU
TERRES NOUVELLES
MAIS AUSSI LES RÊVES QU'ELLES SUSCITENT.
L'HISTOIRE LESTE LE PRÉSENT.

À TOTOCHE, JE REPÈRE UN BARBU PARMI LES BARBUS QUI M'ÉVOQUE CES PORTRAITS QUE L'ON RETROUVE CHEZ LES PEINTRES RUSSES : TRAITS RÉGULIERS, POMMETTES HAUTES, REGARDS QUI SEMBLENT NOUS TRANSPERCER.

UN GÉANT.
JE SIGNE ?

AUBIN EST UN CHASSEUR.
SA MISSION : ÉLIMINER, OU DU MOINS LIMITER, LES ESPÈCES ANIMALES INTRODUITES AU FIL DU TEMPS QUI PEUVENT PROVOQUER DES DÉSASTRES SUR LES ÉCOSYSTÈMES LOCAUX.

COMME LES LAPINS QUI RAVAGENT LA FLORE ENDÉMIQUE, LES RATS ET LES CHATS DÉVORENT LES OISEAUX ET PROVOQUENT UNE HÉCATOMBE.

LES MOUTONS, INTRODUITS À KERGUELEN AU DÉBUT DU XXe SIÈCLE DANS L'ESPOIR D'UNE COLONISATION, ONT ÉTÉ REGROUPÉS SUR UNE DES ÎLES DU GOLFE DU MORBIHAN EN VUE DE LEUR ÉLIMINATION PROGRESSIVE.

D'AUTRES ESPÈCES IMPORTÉES ONT PROLIFÉRÉ, MAIS RESTENT DIFFICILES À SUPPRIMER, COMME LE MOUFLON... OU LE RENNE.

HEUREUSEMENT QU'IL Y A LES ESPÈCES INTRODUITES, SINON ON N'AURAIT RIEN À MANGER !

LE CHOU ?

LE CÉLÈBRE CHOU DE KERGUELEN, CELUI QUI A SAUVÉ BIEN DES MARINS, DES NAUFRAGÉS DU SCORBUT, LA TERREUR DES GRANDES ÉPOPÉES MARITIMES.

IL EST MENACÉ D'EXTINCTION PAR LES LAPINS ET LES SOURIS, TOUT COMME L'AZORELLE, UNE PLANTE SPÉCIFIQUE À KERGUELEN QUE L'ON NE TROUVE PLUS QUE SUR CERTAINS ÎLOTS EXEMPTS DE LAPINS.

LE MONT ROSS, DANS LE MASSIF GALLIENI, DOMINE LE GOLFE DU MORBIHAN. 1731 MÈTRES. LE POINT CULMINANT DES KERGUELEN.
COMME À CROZET, JE DEVINE PLUS CES PAYSAGES QUE JE NE LES DÉCOUVRE.
MA VISION EST ÉMINEMMENT PARTIELLE. C'EST CELLE DE CELUI QUI NE FAIT QUE PASSER.
CES ÎLES NE SE DONNENT QU'AVEC DU TEMPS.

SUR LE CHEMIN DE L'ANSE DU PACHA, NOUS CROISONS L'ÉPAVE D'UNE AUTOCHENILLE. IMPORTÉE DES RIZIÈRES INDOCHINOISES, CE FUT LE MOYEN DE TRANSPORT DES PIONNIERS DES ANNÉES CINQUANTE.

CORMORANS, OTARIES, PHOQUES, ÉLÉPHANTS DE MER, MANCHOTS ROYAUX, MANCHOTS PAPOUS FONT DANSER MON CRAYON.

JE ME POSE
PARMI EUX...
ILS M'OBSERVENT AUTANT
QUE JE LES OBSERVE...
PUIS M'OUBLIENT.

MAURICE EST CHERCHEUR À L'INRA. IL A DÉJÀ FAIT DE NOMBREUX SÉJOURS À KERGUELEN.
SON DOMAINE DE RECHERCHE : LES PUCERONS.
INTRODUITS DANS LES ÎLES IL Y A UNE CINQUANTAINE D'ANNÉES, ILS PROLIFÈRENT DEPUIS.
– MAIS COMMENT SE REPRODUISENT-ILS, IL N'Y A PAS D'ARBRES ?
– IL N'Y A PAS DE REPRODUCTION SEXUÉE À KERGUELEN.
– ... ?
– ILS SE REPRODUISENT PAR PARTHÉNOGENÈSE.
– ... ?
– PAR CLONAGE, COMME LES ABEILLES. IL N'Y A DONC QUE DES FILLES.
– LES PUCERONS SONT PHYTOPHAGES. ILS SE NOURRISSENT DE SÈVE, CE QUI AFFAIBLIT LES PLANTES JUSQU'À PARFOIS LES FAIRE MOURIR.
– LES PLANTES INTRODUITES, ELLES, ONT LEUR SYSTÈME DE DÉFENSE, MAIS QU'EN EST-IL DES ESPÈCES NATIVES ? NE SONT-ELLES PAS DU COUP CONDAMNÉES À DISPARAÎTRE ?
– À CAUSE, EN PLUS, DU RÉCHAUFFEMENT CLIMATIQUE, LES PUCERONS ONT TENDANCE À SE DÉVELOPPER PLUS ENCORE.
EN ROUTE VERS LA CABANE
JACKY – 4-4-10
KERGUELEN

- BON, CELA DIT, LES PUCERONS SE REPRODUISANT PAR CLONAGE, IL N'Y A DONC PAS OU PEU D'ÉVOLUTION GÉNÉTIQUE, TRÈS PEU D'ADAPTATION AU MILIEU. LES PUCERONS D'AUJOURD'HUI SONT SENSIBLEMENT LES MÊMES QU'IL Y A CINQUANTE ANS. ILS SONT PEUT-ÊTRE CONDAMNÉS À DISPARAÎTRE, FAUTE DE SANG NEUF !
- À L'INVERSE, D'AUTRES ESPÈCES SE SONT ADAPTÉES DE FAÇON INCROYABLE.
- AH, LA FAMEUSE MOUCHE DE KERGUELEN !
- OUI, LA MOUCHE SANS AILES !
- LE VENT EST SI VIOLENT QU'ELLES NE PEUVENT VOLER, MAIS ELLES SE DÉPLACENT NÉANMOINS GRÂCE À LUI.
- AU FIL DES GÉNÉRATIONS, CES AILES, DEVENUES INUTILES, SE SONT ATROPHIÉES JUSQU'À DISPARAÎTRE. LES MOUCHES ONT MIS LEUR ÉNERGIE AILLEURS... COMME FAIRE DE LA GRAISSE POUR SE PROTÉGER DU FROID.
- POUR TOI, LA SUPPRESSION DES SERRES QUI CHARRIAIENT PUCERONS ET INSECTES ÉTAIT DONC UNE BONNE INITIATIVE ?
- PAS NÉCESSAIREMENT. ON AURAIT PU METTRE EN PLACE DES SYSTÈMES POUR QUE LES PUCERONS NE S'ÉCHAPPENT PAS, COMME ON LE FAIT DANS NOS LABOS. ET PUIS, ON PEUT FAIRE POUSSER DES TOMATES SANS AVOIR DES INSECTES !
- JE CROIS QUE SI ON MET DES GENS SUR LES ÎLES, IL FAUT LEUR DONNER LES MOYENS DE VIVRE NORMALEMENT.
- CE CHOIX, POUR MOI, EST RADICAL. PLUS POLITIQUE QUE SCIENTIFIQUE.
- POLITIQUE ?
- IL Y A, JE CROIS, AU FOND, UNE NOSTALGIE D'UN ÉTAT ORIGINEL.

– ON A FAIT DES ERREURS AU COURS DES DÉCENNIES PASSÉES EN INTRODUISANT DES ESPÈCES ÉTRANGÈRES.
COMME LES CHATS, PAR EXEMPLE, POUR ÉRADIQUER LES RATS AMENÉS PAR LES NAVIRES AU FIL DES SIÈCLES.
LES CHATS, EN FAIT, ONT TROUVÉ BIEN PLUS FACILE DE MANGER LES POUSSINS ET LES OEUFS DES PÉTRELS !
– ON A INTRODUIT DANS LES ANNÉES CINQUANTE LA MYXOMATOSE POUR TUER LES LAPINS, QUI SONT LES PLUS GRANDS RESPONSABLES DE LA DÉGRADATION DES ÎLES. ILS SONT PROGRESSIVEMENT DEVENUS RÉSISTANTS AU VIRUS... BREF, LA LISTE EST LONGUE DES TENTATIVES RATÉES !
– POUR MOI, IL Y A QUELQUE CHOSE DE TRÈS "CATHO" DANS CE CHOIX DE SUPPRIMER RADICALEMENT LES SERRES : EN GROS, L'HOMME A FAUTÉ EN INTRODUISANT DES ESPÈCES ÉTRANGÈRES, IL LUI FAUT ENCORE EXPIER PAR LA PRIVATION !
ANSE DES PACHAS KERGUÉLEN 4.4.10
ON DOIT EN CHIER PARCE QU'ON BOSSE DANS LES TAAF !
LE MYTHE DU HÉROS POLAIRE !
L'HOMME N'EST QUE L'ACCÉLÉRATEUR D'UN PROCESSUS NATUREL.
TU DOIS TE FAIRE DES AMIS !

JOUR 19.
LE MARION GLISSE DANS LES FJORDS DU GOLFE DU MORBIHAN.
IL CONTOURNE L'ÎLE LONGUE...
MARION DUFRESNES

ET JETTE L'ANCRE FACE À PORT-JEANNE-D'ARC.

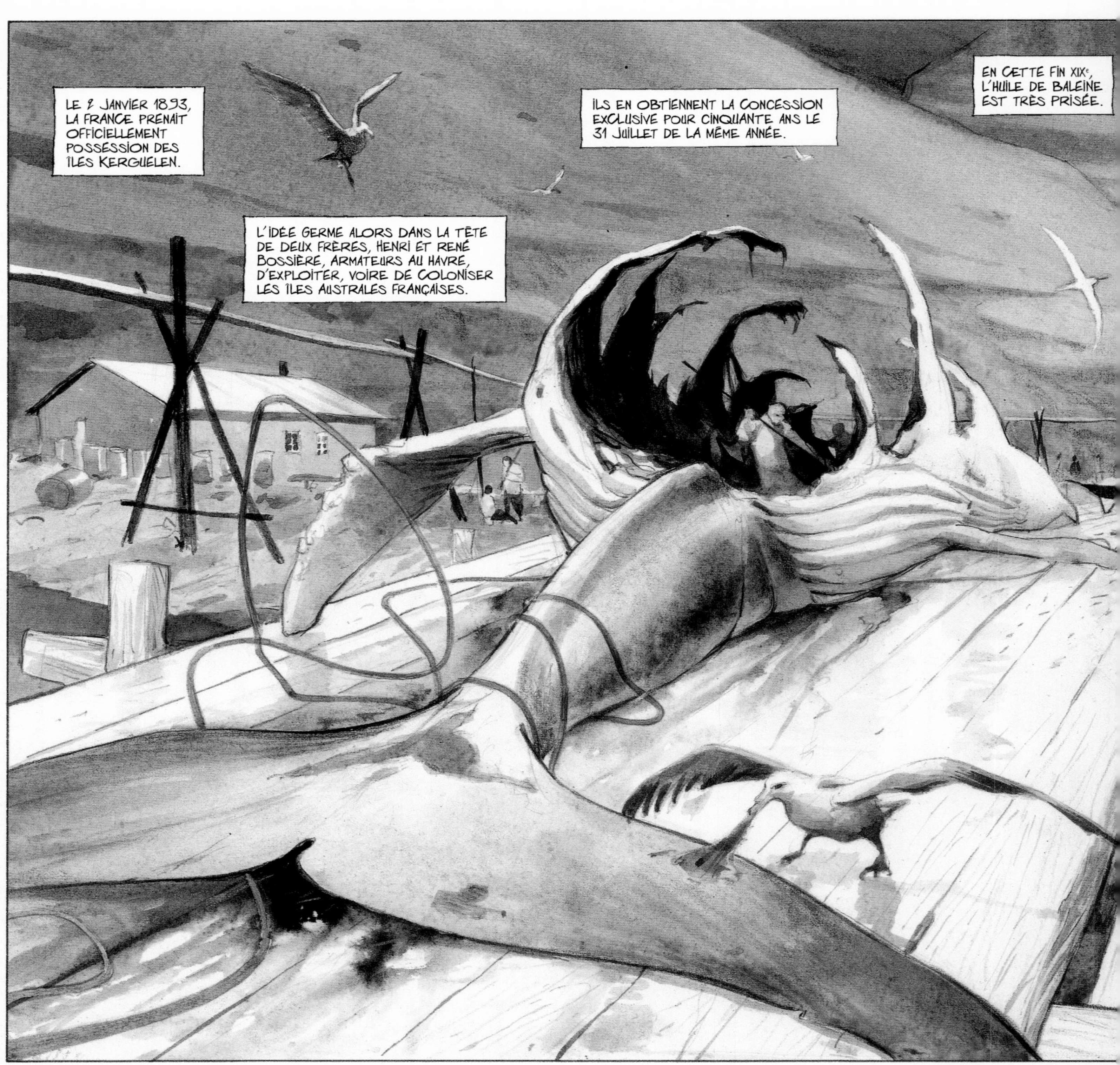
LE 2 JANVIER 1893, LA FRANCE PRENAIT OFFICIELLEMENT POSSESSION DES ÎLES KERGUELEN.
ILS EN OBTIENNENT LA CONCESSION EXCLUSIVE POUR CINQUANTE ANS LE 31 JUILLET DE LA MÊME ANNÉE.
EN CETTE FIN XIXe, L'HUILE DE BALEINE EST TRÈS PRISÉE.
L'IDÉE GERME ALORS DANS LA TÊTE DE DEUX FRÈRES, HENRI ET RENÉ BOSSIÈRE, ARMATEURS AU HAVRE, D'EXPLOITER, VOIRE DE COLONISER LES ÎLES AUSTRALES FRANÇAISES.

LA RARÉFACTION DES DEUX ESPÈCES, LE DÉVELOPPEMENT DE L'ÉLECTRICITÉ ET DES HUILES SYNTHÉTIQUES ENTRAÎNERONT LA FERMETURE DÉFINITIVE DE L'USINE.
1920.

AU DÉBUT DES ANNÉES TRENTE, L'EFFONDREMENT DES COURS DE L'HUILE DE BALEINE SONNERA LE GLAS DE L'EXPLOITATION À GRANDE ÉCHELLE.
1940.

DE NOMBREUSES VILLES S'EN SERVENT POUR LEUR ÉCLAIRAGE URBAIN.
EN 1906, LES BOSSIÈRE FONT APPEL À DES CAPITAUX NORVÉGIENS POUR CONSTRUIRE UNE USINE BALEINIÈRE À PORT-JEANNE-D'ARC AU FOND DU GOLFE DU MORBIHAN.
EN QUELQUES MOIS, LES NORVÉGIENS BÂTISSENT UN PETIT VILLAGE ET DÈS LA FIN DE 1907 LES CHAUDIÈRES SE METTENT À FUMER.
UNE CENTAINE D'OUVRIERS TRAVAILLENT ICI À L'ANNÉE.
CHEZ LES BALEINES ET LES ÉLÉPHANTS DE MER, C'EST L'HÉCATOMBE.
LA PRODUCTION D'HUILE SE POURSUIVRA JUSQU'EN 1922.

1970.

LA BRUME A FAIT PLACE À UN CIEL OUTREMER. L'EAU EST D'UNE LIMPIDITÉ LUSTRALE. PAS UN SOUFFLE DE VENT. PAS DE SON.
ENCHEVÊTREMENT DE MÉTAL TORDU CREUSÉ PAR LE VENT, LA PLUIE OU LA NEIGE, *PJDA* (PORT-JEANNE-D'ARC, PRONONCER *PÉJIDA*) OFFRE DE TOUTE ÉVIDENCE UN SPECTACLE TRÈS GRAPHIQUE.
IL TÉMOIGNE DE LA VANITÉ DE L'HOMME À VOULOIR VAINCRE UNE ÉVIDENCE.

Port Jeanne d'Arc
4 - 4 - 10
JE TOURNE AUTOUR DES SQUELETTES DES CHAUDIÈRES, DES BARAQUEMENTS RESTAURÉS PAR CEUX QUI DÉFENDENT LE PEU DE PATRIMOINE HISTORIQUE DE KERGUELEN.
JE ME FAUFILE PARMI LES BIDONS ENCORE ALIGNÉS COMME PRÊTS À ÊTRE EMBARQUÉS, JE TRÉBUCHE SUR LES RAILS OÙ GLISSAIENT LES BALEINIÈRES... ET FINALEMENT RENONCE.

CELLE DE L'IMPOSSIBILITÉ D'UNE IMPLANTATION HUMAINE DURABLE ET AUTONOME À KERGUELEN.
JE SENS QUE CE LIEU A UNE HISTOIRE FORTE, QUE BIEN DES TRAGÉDIES S'Y SONT NOUÉES. MES LECTURES DE MELVILLE, DE COLOANE, DEVRAIENT ACCOMPAGNER MA MAIN.
ET POURTANT LE CRAYON RESTE LE PLUS SOUVENT LEVÉ ET LES DESSINS NE SONT PAS HABITÉS.
DEUX MALHEUREUX DESSINS. LÀ ENCORE, CETTE FRUSTRATION DE NE FAIRE QUE PASSER.
IL Y A QUELQUE CHOSE À SAISIR EN CE LIEU ET JE ME SENS IMPUISSANT À LE TRADUIRE.
LE VENT S'EST LEVÉ.

LE MARION DANSE ENTRE LES ÎLOTS DU GOLFE DU MORBIHAN.

FURTIVEMENT, ENTRE DEUX ROCHERS, APPARAÎSSENT DES VISAGES.

KERGUELEN, L'ÎLE DES GÉANTS COUCHÉS.

LA ROUTE 66 MÈNE SUR LES HAUTEURS DE PORT-AUX-FRANÇAIS.

LES PORTIÈRES DES VOITURES SONT ÉQUIPÉES DE CHAÎNES AFIN QU'ELLES NE SOIENT PAS EMPORTÉES PAR LE VENT.

AU MILIEU D'UN PAYSAGE LUNAIRE, LE CNES, LE CENTRE NATIONAL D'ÉTUDES SPATIALES. CETTE STATION EST CHARGÉE DE SUIVRE LES SATELLITES CROISANT DANS CETTE PARTIE DU GLOBE.
RIEN POUR ARRÊTER LE VENT DE L'ANTARCTIQUE QUI NOUS TRANSPERCE SANS BRUIT.
Radôme de Port aux Français
Kerguelen
6.4-10
DESSINER, ALORS, EST REDOUTABLE. SURTOUT QUAND LE VENT EMPORTE JUSQU'À MON RÉCIPIENT D'EAU ET M'EMPÊCHE DE FINIR LE CROQUIS !
DIDIER, TECHNICIEN AU CNES, TÉMOIN DE CE PETIT INCIDENT, PART VERS LE CENTRE SPATIAL ET REVIENT D'UN PAS LENT, COURBÉ FACE AU VENT.
UN PICHET D'EAU À LA MAIN.
CETTE ATTENTION DÉLICATE, ICI, SUR LA LUNE, EST PROPREMENT SURRÉALISTE... ET TOUCHANTE.
DIDIER
Technicien de maintenance au CNES.
6.4-10

C'EST LE GRAND DÉPART.
SUR LA DZ, ON S'ÉCHANGE DES BOULES DE PÉTANQUE : LES ORANGES CONGELÉES QUI ONT ÉCHAPPÉ SUBREPTICEMENT À LA POUBELLE SUITE AU CONTRÔLE SANITAIRE.

SUR LA COURSIVE, LES VAT RAPATRIÉS À BORD SONT ABSORBÉS PAR UN ÉTONNANT SPECTACLE.

CELUI DONNÉ PAR LES MARINS DU CHALAND.

LE MARION EMBARQUE LES DÉCHETS. LA MER, HOULEUSE, PRÉCIPITE L'AVENTURE II CONTRE LA COQUE DU NAVIRE. LES VAGUES LE SUBMERGENT JUSQU'À LA PASSERELLE.

LE VENT SOUDAIN SE LÈVE.
SA VIOLENCE EST INOUÏE. LES VAGUES ONT À PEINE LE TEMPS DE SE FORMER QU'ELLES SONT DÉCAPITÉES.

LE CHALAND S'ACCROCHE, ENFOURNE.

LES DOCKERS DE L'EXTRÊME SEMBLENT EN APESANTEUR.

IMPERTURBABLES, ILS ACCOMPLISSENT LEUR TRAVAIL.

LES CAISSES SE BALANCENT, FRAPPENT LA COQUE.

ÉQUIPAGE, SCIENTIFIQUES, CONTRACTUELS, TOURISTES... NOUS SOMMES TOUS MAINTENANT REGROUPÉS SUR LA COURSIVE TRIBORD OU SUR LA PASSERELLE...

... SUSPENDUS À L'EXPLOIT QUI S'ACCOMPLIT SOUS NOS YEUX MÉDUSÉS.

CHARGEMENT RÉUSSI.
OUAiiis !
CLAP CLAP CLAP
BRAVO !
SUPER !
BRAVO !

LES HÉROS !

TU NOUS METTRAS DANS TA BD ?!

BARRE À BÂBORD PUIS À TRIBORD, À BÂBORD À NOUVEAU, TRIBORD, RETOUR VERS LE BATEAU PUIS BARRE À NOUVEAU À BÂBORD... MANÈGE ÉTRANGE.
CARO Y VOIT LE DESSIN D'UN COEUR, TRACÉ DANS L'ÉCUME.

ON EST PARTIS DANS LE COUCHANT.
LE VENT EST TOMBÉ.

UNE FOULE HÉTÉROCLITE A MAINTENANT PRIS POSSESSION DU FORUM.
DES TÊTES NOUVELLES, DES VISAGES ENTRAPERÇUS CHEZ TOTOCHE, DES TRONCHES HIRSUTES, RAYONNANTES.

UN VERRE DE COGNAC À LA MAIN, JE MONTRE SON PORTRAIT À MATTHIEU.
JE T'AI CROQUÉ DANS LA CABANE.
TU ME LE SIGNES ?

Matthieu Meissonnier
Administrateur principal
du Sénat

VENEZ ! VENEZ VOIR !

LE COMMANDANT EST VISIBLEMENT ÉMU.
MALGRÉ CES ANNÉES PASSÉES SUR LE MARION, C'EST LA PREMIÈRE FOIS QUE JE VOIS UNE AURORE AUSTRALE !

MATTHIEU M'EXPLIQUE LE PHÉNOMÈNE.
JE SUIS BERCÉ PAR SES PAROLES, N'ESSAYANT PAS MÊME DE COMPRENDRE TANT JE RESTE ADMIRATIF DE L'ÉTENDUE DES CONNAISSANCES DE CET HOMME. IL SAIT EXPLIQUER LES CHOSES SIMPLEMENT ET AVEC BIENVEILLANCE.

FRANÇOIS, LE MÉTÉO, ME CONFIE :
ÇA FAIT PLAISIR QUE LA RÉPUBLIQUE PAYE AUSSI DES GENS COMME ÇA !

NOUS NE VERRONS PAS L'ARCHE.
ELLE S'EST EFFONDRÉE AU DÉBUT DU VINGTIÈME SIÈCLE. NE RESTE QUE LES PILIERS.

ON RENTRE.

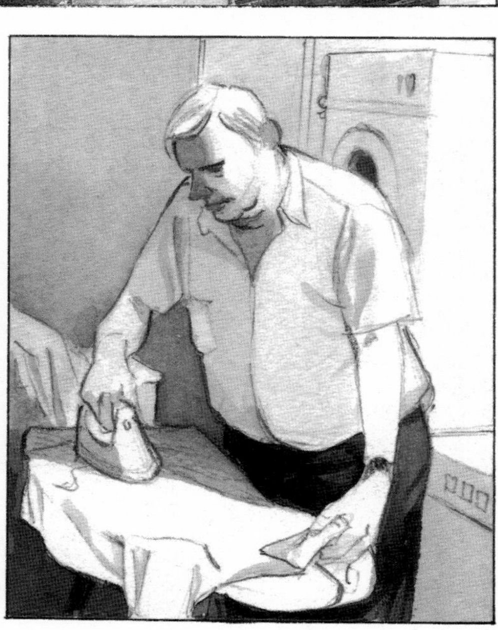

J'ÉTAIS UN ENFANT QUAND J'ENTENDIS PARLER POUR LA PREMIÈRE FOIS DE L'ÎLE SAINT-PAUL.
UN AMI DE MON PÈRE, DANIEL FLOC'H, AVAIT ÉCRIT SON HISTOIRE.
JE NE LA SITUAIS PAS, LES CARTES AFFICHÉES CHEZ NOS PARENTS NE MENTIONNAIENT PAS ÎLE SI MINUSCULE.
MAIS LE TITRE DU LIVRE DE DANIEL ME RESTA EN MÉMOIRE : LES OUBLIÉS DE L'ÎLE SAINT-PAUL.
JE DEVINAIS ALORS QUE CETTE ÎLE MYSTÉRIEUSE AVAIT ÉTÉ LE THÉÂTRE D'UNE TRAGÉDIE.
LES FRÈRES BOSSIÈRE, LES ARMATEURS HAVRAIS QUI AVAIENT, DÈS LA FIN DU XIXe SIÈCLE, RÊVÉ LA COLONISATION DES TERRES AUSTRALES, SE MIRENT EN TÊTE D'EXPLOITER LA RESSOURCE EXCEPTIONNELLE QUE RECÈLENT LES EAUX DE SAINT-PAUL : LA LANGOUSTE.

ILS ENTREPRIRENT D'Y ÉTABLIR UNE CONSERVERIE.
LE 24 OCTOBRE 1928, L'AUSTRAL JETTE L'ANCRE DEVANT CETTE ÉTRANGE ÎLE VOLCANIQUE.
LES OUVRIERS, DES BRETONS, CONSTRUISENT EN QUELQUES SEMAINES UN VILLAGE AU CREUX DU CRATÈRE.
L'USINE TOURNE VITE À PLEIN RÉGIME. LA PÊCHE SE RÉVÈLE MIRACULEUSE. JUSQU'À 20 000 LANGOUSTES SONT MISES EN BOÎTES... PAR JOUR.

L'USINE FERME POUR L'HIVER AUSTRAL ET LES BRETONS RENTRENT CHEZ EUX.

À L'ISSUE DE LA CAMPAGNE SUIVANTE, SIX HOMMES ET UNE FEMME SE PORTENT VOLONTAIRES POUR ÊTRE LES GARDIENS DE L'USINE DURANT L'HIVER.
LE 3 MARS 1930, L'AUSTRAL QUITTE L'ÎLE LAISSANT LÀ LOUIS HERLÉDAN, EMMANUEL PULOC'H, JULIEN LE HULUDUT, PIERRE QUILLIVIC, LOUISE ET VICTOR BRUNOU, FRANÇOIS RAMAMONZI, UN MALGACHE.
ILS SONT CONFIANTS : TOUT AU PLUS DOUZE SEMAINES À ATTENDRE LE RETOUR DU BATEAU, LEUR PROMET-ON...

QUELQUES JOURS PLUS TARD, LOUISE MET AU MONDE UNE PETITE FILLE : PAULE.

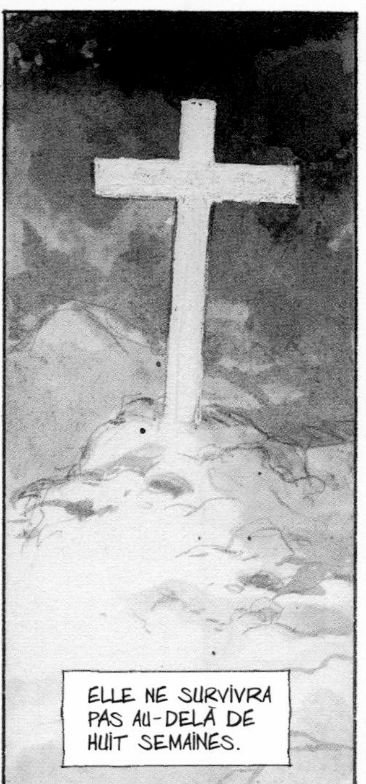
ELLE NE SURVIVRA PAS AU-DELÀ DE HUIT SEMAINES.

LES MOIS PASSENT.

LES TEMPÊTES SE DÉCHAÎNENT. LE CRATÈRE SE TRANSFORME CHAQUE FOIS EN UNE IMMENSE CHAUDIÈRE CHAUFFÉE À BLANC.
UN MAL IMPLACABLE EST À L'ŒUVRE. LE SCORBUT.

EMMANUEL EST SA PREMIÈRE VICTIME.

SUIVRONT FRANÇOIS ET VICTOR...
PIERRE, LUI, DISPARAÎT EN MER.

AU FIL DES SEMAINES, LE CIMETIÈRE SE REMPLIT DE CROIX, TANDIS QUE L'HORIZON RESTE DÉSESPÉRÉMENT VIDE.

LES TROIS SURVIVANTS NE CROIENT PLUS AU SALUT... QUAND LE 6 DÉCEMBRE...
CE N'EST PAS L'AUSTRAL, MAIS L'ÎLE SAINT-PAUL QUI VIENT À LEUR RENCONTRE.

CETTE TROISIÈME CAMPAGNE D'ÉTÉ SERA UNE NOUVELLE CATASTROPHE. UNE ÉPIDÉMIE DE BÉRIBÉRI EMPORTERA UNE TRENTAINE DE MALGACHES.
E SAINT PAUL

EN FRANCE, LE RÉCIT DE CETTE TRAGÉDIE SE RÉPANDRA DANS LA PRESSE. UN PROCÈS RETENTISSANT CONDAMNERA LES ARMATEURS HAVRAIS. LEUR CONCESSION SUR LES TERRES AUSTRALES LEUR SERA RETIRÉE.

LA BANQUE QUI A PRÉSIDÉ, ENTRE-TEMPS, À LA DESTINÉE DE L'ENTREPRISE DES FRÈRES BOSSIÈRE AVAIT DÉSIGNÉ L'AUSTRAL POUR LA CHASSE AUX PHOQUES AUX ÎLES KERGUELEN.

ET SIGNIFIERA LA FIN D'UN RÊVE : COLONISER LE BOUT DU MONDE.
IL FAUDRA ATTENDRE LES ANNÉES CINQUANTE POUR QUE D'AUTRES PROJETS VOIENT LE JOUR. SCIENTIFIQUES CETTE FOIS.
AU CREUX DE CE PROMONTOIRE, QUE VIENT GRIFFER L'OMBRE DE LA ROCHE QUILLE, ONT VÉCU LES OUBLIÉS DE SAINT-PAUL.
- la Quille -
- St Paul -
9 - 4 - 10

L'ÎLE EST UNE RÉSERVE INTÉGRALE. IMPOSSIBLE D'Y METTRE LES PIEDS SI L'ON N'EST PAS UN SCIENTIFIQUE.
QUELQUES-UNS EMPRUNTENT UN ZODIAC POUR S'Y RENDRE.

LE SPECTACLE QUI S'OFFRE À NOS REGARDS ÉBAHIS NOUS EMPORTE, LÀ AUSSI.

LE SOLEIL EMBRASE SOUDAIN LES FLANCS DE CETTE ÎLE MAUDITE ET COURT LE LONG DU CRATÈRE EN QUELQUES SECONDES. C'EST COMME UN LEVER DE RIDEAU SUR LE THÉÂTRE DE CETTE TRAGÉDIE.

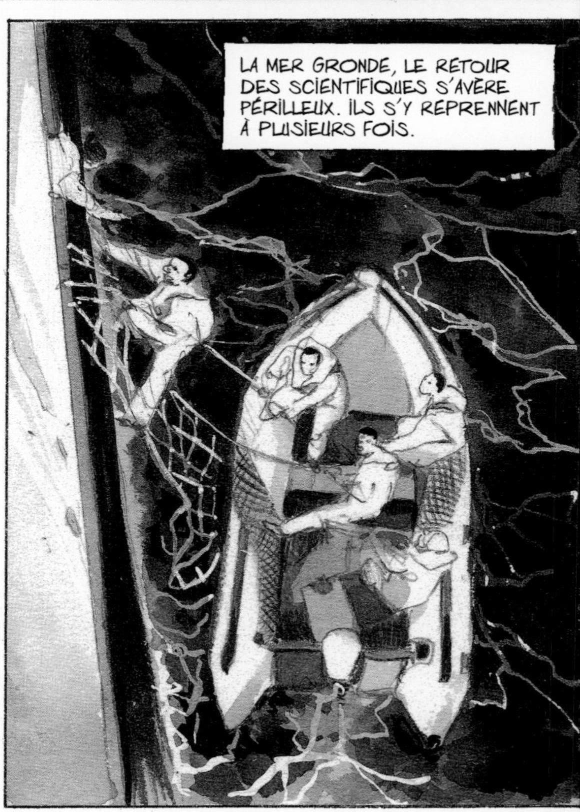
LA MER GRONDE, LE RETOUR DES SCIENTIFIQUES S'AVÈRE PÉRILLEUX. ILS S'Y REPRENNENT À PLUSIEURS FOIS.

LE SURVOL DE L'ÎLE EN HÉLICOPTÈRE, QUI UN TEMPS FUT ENVISAGÉ, N'EST PLUS POSSIBLE.
LES VESTIGES DU VILLAGE DES OUBLIÉS NE S'OFFRIRONT PAS À MON CRAYON.

En route vers Amsterdam,
à 80 kilomètres de là.
Saint-Paul était la dernière île à susciter, pour moi, du désir.

Amsterdam ne m'évoquait rien.
L'arrivée dans une brume grise était conforme à l'image que je me faisais de cette île.
Après Kerguelen, le reste ne pouvait être que fade.

POUR AURÉLIEN, ONÉSIME ET JÉRÉMY, ELLE REVÊT POURTANT UN ASPECT INHABITUEL, APRÈS DIX-HUIT MOIS À CROZET.

DES ARBRES.

AMSTERDAM POURRAIT PRESQUE RESSEMBLER À UNE ÎLE BRETONNE SI, PARTOUT, SE CONFONDANT AVEC DES ROCHERS, NOUS NE CROISIONS... DES MILLIERS D'OTARIES.
AGRESSIVES, ON ZIGZAGUE ENTRE ELLES DANS LA CRAINTE PERMANENTE D'ÊTRE MORDUS.

LA BASE RESSEMBLE À UN VILLAGE DE VACANCES EN BRETAGNE SUD, JUSQU'AUX HORTENSIAS QUI FLEURISSENT AU PIED DES BÂTIMENTS ALIGNÉS ET COLORÉS.
C'EST UNE BASE BIEN RANGÉE !

EN CE SOIR BRUMEUX, IL SE DÉGAGE DE CETTE ÎLE COMME UN MYSTÈRE.
NO STRESS
NOUS SOMMES À DES MILLIERS DE KILOMÈTRES DE CHEZ NOUS, POURTANT UN ÉTRANGE SENTIMENT DE FAMILIARITÉ M'ENVAHIT.
CE DÉCALAGE CRÉE UN TROUBLE, UN MALAISE.
JE ME TROMPAIS SUR CETTE ÎLE. ELLE AUSSI EXCITE L'IMAGINAIRE.

ÉLIANE, LA DISAMS, NOUS ACCUEILLE CHALEUREUSEMENT, COMME LA PETITE VINGTAINE D'ÎLIENS QUI L'ENTOURENT.

NOUS L'ATTENDIONS : LANGOUSTES À VOLONTÉ !

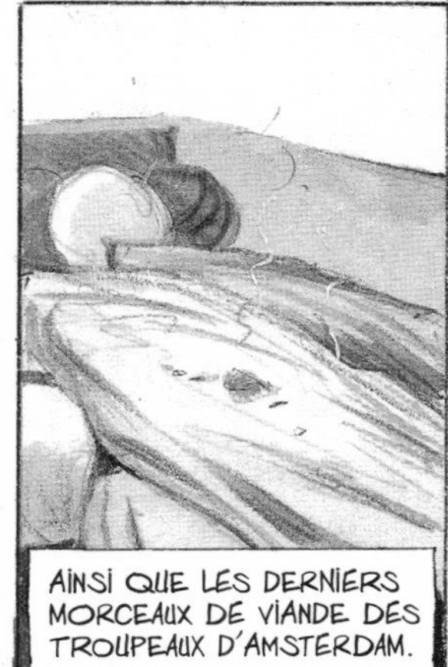
AINSI QUE LES DERNIERS MORCEAUX DE VIANDE DES TROUPEAUX D'AMSTERDAM.

TOUT COMME LES MOUTONS DE KERGUELEN, IL A ÉTÉ DÉCIDÉ DE SUPPRIMER LES 320 VACHES QUE COMPTAIT L'ÎLE VOICI ENCORE TROIS ANS.
MALGRÉ LEUR CONFINEMENT DANS UNE PARTIE DE L'ÎLE, LE PIÉTINEMENT DES SOLS DÉTRUISAIT LA FLORE ENDÉMIQUE, ÉCRASAIT LES TERRIERS DE PÉTRELS, MENAÇAIT D'EXTINCTION LES GRANDS ALBATROS D'AMSTERDAM.
CE CHOIX RADICAL N'EST PAS SANS SUSCITER DE NOMBREUSES POLÉMIQUES DANS LA COMMUNAUTÉ SCIENTIFIQUE. CES VACHES, QUI AVAIENT VÉCU 120 ANS LOIN DE TOUT AUTRE CHEPTEL, CONSTITUAIENT UN PATRIMOINE GÉNÉTIQUE RARE.

LES DERNIÈRES VENAIENT DE SUCCOMBER SOUS LES BALLES DE TRÈS JEUNES CHASSEURS.

JOUR 24.
NOUS AVONS DE LA VISITE.

CETTE NUIT, MON FRÈRE FRANÇOIS A EU QUARANTE ANS.

L'AUSTRAL EST LE SEUL BATEAU AUTORISÉ À PÊCHER LA LANGOUSTE DANS CES EAUX.
IL PART POUR DEUX MARÉES DE SOIXANTE JOURS ET RAMÈNE QUATRE CENTS TONNES DE LANGOUSTES DESTINÉES AU MARCHÉ JAPONAIS.

LA PÊCHE DANS CETTE ZONE EST CONTINGENTÉE ET PARTICULIÈREMENT SURVEILLÉE AFIN DE PRÉSERVER LA BIODIVERSITÉ.

CHRISTIAN, LE SÉNATEUR, S'APPRÊTE À PASSER LA JOURNÉE SUR L'AUSTRAL. IL ATTEND LE ZODIAC QUI L'AMÈNERA À BORD.
J'EN PROFITE POUR LE "CROQUER".
JE FAIS QUOI ?
RIEN. REGARDE LE LARGE, FAIS COMME SI JE N'ÉTAIS PAS LÀ.

C'EST BON, LÀ ?
J'AI FINI.

– C'EST É-PATANT ! ÇA FAIT AVENTURIER !

EN COMPAGNIE DES TROIS VÉTÉRANS DE CROZET, ONÉSIME, AURÉLIEN ET JÉRÉMY, GUIDÉS PAR JEAN-MICHEL, QUI AVANT DE PASSER QUELQUES MOIS SUR L'ÎLE DE LA POSSESSION AVAIT HIVERNÉ À AMSTERDAM, NOUS ARPENTONS LES CHAMPS VOLCANIQUES ET CHAOTIQUES DE L'ÎLE.

LA LAVE A CREUSÉ DE PROFONDS BOYAUX DANS LES SOUS-SOLS DE L'ÎLE.
ICI ET LÀ, DES CRÂNES BADIGEONNÉS DE COULEURS VIVES NOUS DOMINENT, DES AUTELS SONT DRESSÉS. ON SOUPÇONNE QUE, CERTAINS SOIRS, S'Y DÉROULENT D'ÉTRANGES MESSES OCCULTES.

AU CREUX DES GALERIES EFFONDRÉES POUSSE LE PHYLICA, SEUL ARBRE NATIF DES TERRES AUSTRALES FRANÇAISES. IL A TROUVÉ LÀ UN REFUGE CONTRE LE PIÉTINEMENT DES VACHES ET LE VENT VIOLENT.
Albatros sous les monts de Venus.

NOUS AVANÇONS TOUS LES CINQ D'UN MÊME PAS, EN SILENCE.

LE REGARD EST LOINTAIN, PARFOIS LE PASSAGE D'UN OISEAU FAIT LEVER LA TÊTE, UN ÉCHANGE DE REGARDS, UN SOURIRE S'ÉGARE SUR UN VISAGE.

LA COMPLICITÉ ENTRE CES HOMMES SE PASSE DE MOTS.

UNE LUMINOSITÉ RADIEUSE NOUS ENVELOPPE ET EMBRASE L'ÎLE.
SUR LES FLANCS DU CRATÈRE ANTONELLI, UNE CABANE EST SUSPENDUE. LIEU DE VILLÉGIATURE POUR CEUX QUI VEULENT, PARFOIS, S'ISOLER DE LA VIE DE LA BASE.
UNE BOUTEILLE DE BOURGOGNE AVAIT ÉTÉ OUBLIÉE.
DE SANDWICHS AU JAMBON-CAMEMBERT NOUS AVONS FAIT UN FESTIN...
... LÀ, SUR CETTE TERRASSE AUSTRALE BAIGNÉE DE LUMIÈRE.

AMSTERDAM -
cratère Antonelli
10 - 4 - 10
C'EST ENTRE LES MOTS RARES ÉCHANGÉS CE JOUR-LÀ, EN MARCHANT À LEUR RYTHME, EN SILENCE, ALORS QU'UN SOLEIL MAIGRE NOUS CARESSAIT LA PEAU, QUE J'AI CRU APERCEVOIR CE QUE CES HOMMES AVAIENT PU VIVRE PENDANT CES LONGS MOIS AU BOUT DU MONDE.
CE FUT UNE JOURNÉE PARFAITE.
LA PLUS BELLE DE CE VOYAGE.
UN INSTANT D'HARMONIE ET DE FRATERNITÉ...
UN FRAGMENT D'ÉTERNITÉ.

AU PIED DU CRATÈRE, LA STATION MÉTÉO DE POINTE BÉNÉDICTE. ELLE ANALYSE L'AIR LE PLUS PUR DU MONDE.
NOUS Y RETROUVONS FRANÇOIS, LE MÉTÉOROLOGUE. IL A PASSÉ QUATRE SEMAINES SUR LE *MARION* POUR SEULEMENT DEUX JOURNÉES SUR LA STATION. ÇA LE STRESSE ! IL A PERDU, DU COUP, LE FLEGME ET LA CAUSTICITÉ AUXQUELS IL NOUS AVAIT HABITUÉS. LUI AUSSI A PASSÉ UN HIVERNAGE ICI IL Y A QUELQUES ANNÉES.
AMSTERDAM
10-4-10
François
TRUONG.
En charge de la visite annuelle de l'observatoire de Pointe Bénédicte.

AU PIED DES HAUTES FALAISES QUI ENTOURENT AMSTERDAM UNE BARRIÈRE ROCHEUSE PROTÈGE UNE PETITE ANSE QUI EST LE SEUL LIEU DE BAIGNADE DE L'ÎLE... À CONDITION DE DESCENDRE LA FALAISE EN RAPPEL.

À L'APPROCHE DE LA BASE, LES OTARIES SONT COUCHÉES NONCHALAMMENT SUR LES DALLES CHAUDES DU MONUMENT AUX MORTS. IL EST COUVERT DE NOMS.

JE N'ARRIVE PAS À ME DÉPARTIR DE CET ÉTRANGE SENTIMENT QUI M'A SAISI DÈS L'ARRIVÉE SUR CETTE ÎLE.
IL N'A FAIT QU'AMPLIFIER À LA VUE DE CES À-PICS, DE CES CAVITÉS, DE CETTE DOUCEUR DE L'AIR.
QUAND FABIEN, LE MÉDECIN, ME PARLERA D'UN NOMBRE ÉLEVÉ DE SUICIDES SUR AMSTERDAM - MYTHE OU RÉALITÉ -, JE QUITTERAI L'IMAGINAIRE DE MELVILLE ET DE STEVENSON POUR REJOINDRE CELUI DE MAURICE LEBLANC... *L'ÎLE AUX TRENTE CERCUEILS*.

LES CUISTOTS ONT PRÉPARÉ UN ÉNORME GÂTEAU POUR L'ANNIVERSAIRE DE FRANÇOIS.

IL PARTAGERA AVEC YVES, LE DIRECTEUR DE L'IPEV, D'AVOIR FÊTÉ SES QUARANTE ANS DANS LES QUARANTIÈMES RUGISSANTS...
... ET MÊME PLUS ENCORE : ICI, À AMSTERDAM.

FIN OCTOBRE 2010, ALORS QUE JE BOUCLE LES DERNIÈRES PLANCHES DE CE LIVRE, J'APPRENDS QU'EN TERRE ADÉLIE, LE QUATRIÈME DISTRICT DES TAAF, UN HÉLICOPTÈRE QUI ASSURAIT LA LIAISON ENTRE LE BATEAU ET LA BASE S'EST ÉCRASÉ.
LES DEUX TECHNICIENS DE L'IPEV, LE PILOTE ET LE MÉCANO QUI SE TROUVAIENT À BORD N'ONT PAS SURVÉCU.

MARION DUFRESNE

CETTE NUIT, NOUS NOUS RETROUVONS TOUS SUR LA DZ POUR UN BARBECUE DE LANGOUSTES ET DES DERNIERS QUARTIERS DE VIANDE D'AMSTERDAM.

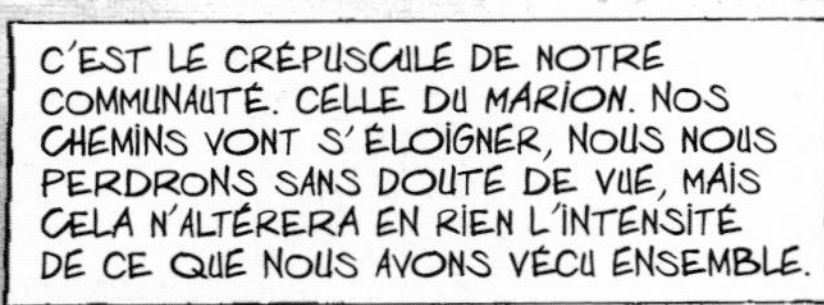
C'EST LE CRÉPUSCULE DE NOTRE COMMUNAUTÉ. CELLE DU MARION. NOS CHEMINS VONT S'ÉLOIGNER, NOUS NOUS PERDRONS SANS DOUTE DE VUE, MAIS CELA N'ALTÉRERA EN RIEN L'INTENSITÉ DE CE QUE NOUS AVONS VÉCU ENSEMBLE.

UNE BULLE FLOTTANT SUR L'OCÉAN INDIEN.
GHISLAINE.
CÉDRIC.
DOROTHÉE.
FRANÇOIS.

JERÉMY.
ONÉSIME.
AURÉLIEN.

PATRICK.
FABIEN.

PATRICE.
PIERRE.
CHRISTIAN.
MAURICE.
MATTHIEU.

LA VIE SEMBLE PLUS PLEINE QUAND ON EST RICHE DE TOUTES CES RENCONTRES.

AINSI QUE DE CELLES QUE NOUS AURIONS PU FAIRE ET QUE NOUS AVONS RATÉES.

CERTAINS TRAÎNENT AU RYTHME DES CHANSONS, COMME S'ILS VOULAIENT ARRÊTER LE TEMPS...

STEFAN
... AVANT D'ÊTRE NOYÉS PAR LE CANON À EAU.

DANS L'OBSCURITÉ DE LA COURSIVE...

... J'APERÇOIS D'ÉTRANGES LUMIÈRES QUI SE BALANCENT.

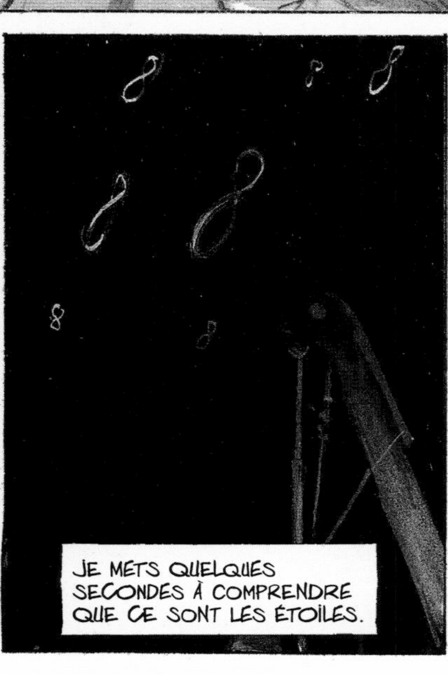
JE METS QUELQUES SECONDES À COMPRENDRE QUE CE SONT LES ÉTOILES.

SANS REPÈRES, J'AI PERDU DE VUE QUE C'ÉTAIT NOUS QUI BOUGIONS.
UN INSTANT, J'AI OUBLIÉ OÙ NOUS ÉTIONS...
SERAIS-JE ENFIN AMARINÉ ?

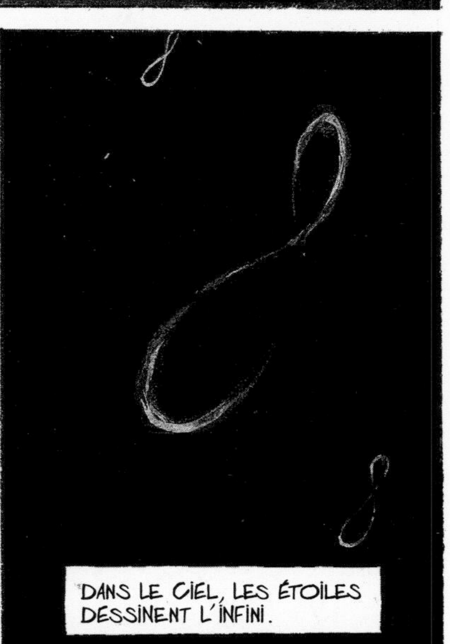
DANS LE CIEL, LES ÉTOILES DESSINENT L'INFINI.

Emmanuel Lepage
NOV 10

Photo : François Lepage.

Ce livre n'aurait pu se faire sans la complicité de nombreuses personnes, que je tiens ici à remercier chaleureusement :

Virginie Ollagnier, pour m'avoir accompagné, lu, relu et soutenu tout au long de ce récit, et qui m'a donné la force de le mener à son terme ; Claude Gendrot, qui m'a suivi dans un projet au départ très flou et convaincu de faire de ce voyage une bande dessinée ; François Lepage, pour sa lecture attentive et pour ses photos habitées qui ont porté ce récit ; Caroline Britz, pour m'avoir entraîné dans cette aventure et m'avoir fait découvrir le monde de la mer ; Stevan Roudaut, pour ses remarques pertinentes, sa disponibilité, sa patience et son travail remarquable sur le lettrage ; Fabien Phelippot et Celia Bornas, qui ont monté avec patience ce puzzle invraisemblable ; Maurice Hullé, pour m'avoir fait partager ses réflexions et découvrir le monde fascinant des pucerons ; François Pioteyry, pour ses précisions quant à la vie à bord du *Marion Dufresne* ; Jacques Ledoux, pour ses encouragements, ses réflexions pertinentes et ses images ; Onésime Prud'homme, pour les informations nombreuses et diverses sur la vie à Crozet ; Jean-Claude Mézières, pour ses conseils avisés, sa disponibilité et sa patience ; Marie-Thérèse et Jean-Paul Lepage, pour avoir donné à leurs enfants le goût immodéré du voyage, leur avoir appris à vivre les yeux ouverts... et donné le plaisir de se plonger dans les cartes.

Je remercie aussi :

Le préfet Rollon Mouchel-Blaisot de nous avoir permis d'embarquer sur le *Marion Dufresne* et de découvrir les terres australes françaises dont il a eu la charge ; Noémie Grignon d'avoir fait en sorte que ce voyage soit possible ; tout l'équipage du *Marion Dufresne*, la CMA CGM, pour son accueil et sa disponibilité ; l'IPEV, l'institut polaire, et particulièrement Yves Frenot, son directeur ; Cédric Marteau pour nous avoir fait partager sa passion et permis d'aller à la découverte de la plus grande réserve naturelle française ; Jean-Paul Kauffmann, pour m'avoir autorisé à reprendre le sous-titre de son livre *L'Arche des Kerguelen, Voyage aux îles de la Désolation*, Éditions de La Table Ronde, collection La Petite Vermillon.

Je remercie enfin Jean-Michel Arragain, Sandra Blaye, Dominique Fajnzang, Fabien Farge, René Follet, Sébastien Gignoux, Michel Goualle, Sophie Michel, JB Pons, Aurélien Prudor et Céline Roumet qui, à un moment ou à un autre, ont permis de faire évoluer ce récit.

E. L.

Le site de notre voyage en terres australes
cap-sur-les-terres-australes.over-blog.com

Le site de François Lepage
www.francoislepage.com